John Albrecht
1722 S. Third St.
Cuyahoga Falls
Ohio.

*BORZOI SPANISH TEXTS*

# EL GRAN GALEOTO

# EL GRAN GALEOTO

DRAMA TRES ACTOS Y EN VERSO
PRECEDIDO DE UN DIÁLOGO EN PROSA

POR

JOSÉ ECHEGARAY

*EDITED WITH INTRODUCTION, NOTES AND VOCABULARY*

BY

AURELIO M. ESPINOSA, PH. D.

*Professor of Romanic Languages, Stanford University, Knight-Commander of the Royal Order of Isabella the Catholic Corresponding Member of the Royal Spanish Academy*

NEW AND REVISED EDITION

NEW YORK, ALFRED A. KNOPF, MCMXXVIII

*Set up, electrotyped and printed by Vail-Ballou Press, Inc., Binghamton, N. Y. Bound by H. Wolff Estate, New York. Paper manufactured by S. D. Warren Co., Boston.*

PRINTED IN THE UNITED STATES OF AMERICA

AL FERVIENTE ADMIRADOR DE LAS LETRAS ESPAÑOLAS

DON JUAN C. CEBRIÁN

DEDICA ESTA EDICIÓN DE *EL GRAN GALEOTO*

AURELIO M. ESPINOSA

# PREFACE

The study of Spanish is now being given the great attention it deserves in the schools and colleges of the United States. Although in the lower High School and elementary College courses the study of the language comes first, the study of literature is being more and more emphasized in the advanced courses. The study of Spanish literature is necessary for a better understanding of the culture of Spain and Spanish-America. The reading and study of modern literary texts should be especially encouraged, not only in College and University but also in the upper High School courses.

No course in modern Spanish literature can be complete without the reading of some of the works of José Echegaray, whose influence on the dramatic literature of Spain was paramount during the last twenty-five years of the XIXth century. His masterpiece, *El Gran Galeoto*, is one of the great masterpieces of modern literature and should be known to all students of Spanish.

For these reasons I am now publishing a new and revised edition of *El Gran Galeoto*. My first edition was published in 1903. The vocabulary is complete and various additions and corrections have been made in the notes. In making corrections on the notes I have taken advantage of suggestions made by some of my colleagues, especially Professor Ford of Harvard University and Professor Hills now of the University of California.

Stanford University, Cal., A. M. E.
July, 1918.

# INTRODUCTION

## JOSÉ ECHEGARAY AND HIS WORKS

DON JOSÉ ECHEGARAY Y EIZAGUIRRE, the most popular Spanish dramatist during the last twenty-five years of the XIXth century, was born in Madrid in the year 1833 and died in the same city in the year 1916. Echegaray received his early education in Murcia in southwestern Spain, attended the University of Murcia, and later returned to Madrid and entered the School of Engineers, where he distinguished himself in mathematics and physics.

In the year 1858 Echegaray was appointed to a chair in the School of Engineers where he had distinguished himself as a pupil. While he was teaching in this school he published two important scientific works, "Problems in Analytical Geometry," 1865, and "Modern Theories of Physics," 1866, and his reputation as a scientist gained him admission into the Academy of Natural Sciences in the year 1866.

During all this time, however, Echegaray studied every branch of literature with avidity, especially dramatic literature. He even found time to study political economy and published several articles in favor of free trade in the years 1859 and 1860.

Don José Echegaray was famous as a mathematician, as a politician and as a dramatist.

In the year 1868, when Emilio Castelar, who had been banished from Spain on account of his democratic ideas, returned to Spain to advocate freedom and to start a revolution against the existing monarchy, Echegaray joined the revolutionists, and under the provisional government which lasted from 1868 to 1871 he was minister of Public Works. In 1871 Victor Emmanuel, King of Italy, sent his son Amadeo to take the throne of Spain, and Echegaray was a member of the commission who received the new king at Cartagena. Under the new régime Echegaray was again appointed minister of Public Works, and later minister of the Treasury. In 1873 Castelar was again in power and Echegaray resigned his post and betook himself to Paris; but in 1874, when Castelar's short-lived republic was at an end and Alfonso was put on the throne of Spain, Echegaray returned and was again appointed minister of the Treasury. In February of the same year his play, *El Libro Talonario*, was produced in Madrid.

From this time on he left politics and devoted his time to writing. From the year 1874 to the year of his death in 1916, or for a period of some forty-two years, he devoted practically all his time to dramatic writing. His dramatic output consists of some seventy plays, many of which have been most enthusiastically received, not only in Spain but in all countries. From the time of the production of his first great work, *La Esposa del Vengador* in 1874, to the year 1900, when his last important play, *El Loco Dios,* was applauded by the public, or for a period of some twenty-five years, he was the greatest and most popular Spanish dramatist.

Echegaray's first dramatic effort seems to have been written as early as 1867, and is entitled *Una Mentira piadosa.* It was an apparent failure. Shortly after this he wrote *La última Noche*, a three-act drama in verse, but this play was not produced until the year 1875, a year after *El Libro Talonario* had been successfully presented at the Teatro Español. His first attempt, *Una Mentira piadosa*, was presented again with the title, *La Hija natural*, and failed again, but in 1877 it was successfully presented at the Teatro Español under the title *Para tal culpa tal pena*.

The first masterpiece of our author, however, *La Esposa del Vengador*, was produced in 1874. This play is one of his best compositions, and may be said to be truly representative of his style and ideas. This play was followed soon by *En el puño de la espada*, 1875, the powerful trilogy of tragic compositions, *Cómo empieza y cómo acaba*, 1876, *Lo que no puede decirse*, 1877, *Los dos curiosos impertinentes*, 1882, his universally famous *O Locura o Santidad*, 1877, the idealistic comedy, *Correr en pos de un ideal*, 1878, the historico-legendary tragedy, *En el seno de la muerte*, 1879, and *La muerte en los labios*, 1880. The majority of these plays are essentially romantic. Love, truth and honor are everywhere apparent. In these compositions and also in many that follow them the predominant idea is a conflict between duties. His play *Conflicto entre dos deberes*, 1882, includes in the title the keynote of his dramatic art. Absolute subjection to that which seems to be true and right must decide the eternal conflict between duties. The author has made the punishment of sin his moral code, and in the above romantic plays, most of them composed in verse, he often presents very sombre scenes even to the point of sacrificing the form for the substance. Sin and its consequences are put forth in the blackest colors so that the public will learn to hate it. Echegaray is an old-fashioned moralizer. He is so relentless in punishing the guilty that in his plays the innocent are often punished equally with the guilty. He is a keen observer, understands human passions, and continues in the Spanish drama many of the old ideas of honor, but in the presentation of his eternal conflicts between duties he often exaggerates, and some of his plays are artificial and overdrawn as human documents. His figures are titanic, even sublime, but often they are grotesque and too exact for real life.

On the evening of the nineteenth of March, 1881, was produced at the Teatro Español, *El Gran Galeoto*, Echegaray's masterpiece. This play is undoubtedly the best and most popular of his works and one that will always give the author a place in the dramatic literature of the world. When the play was first produced it was received with universal applause, and the Spaniards hailed Echegaray as a second Shakespeare. While the work is not that of a real Shakespeare, it is nevertheless one of the best dramatic compositions of the last century. In Madrid it holds the stage even today. A Greek version was presented in Athens in 1895, a French version in Paris in 1896, and an English version in Boston in 1900. During the last few years we have seen the play produced in the United States under the title *The World and his Wife*. *El Gran Galeoto* (The Great Go-Between) is a world drama. The ideas therein embodied are universal and apply to all peoples and to all epochs of human history. We are face to face with the great and ugly monster, slander, at all times one of the greatest evils of society. Echegaray has treated this great social problem with great success, and the results of calumny are painted so black that the lesson given to the public is of inestimable moral significance. At first,

Ernesto, Don Julián and Teodora all appear in their true light,—generous, noble and pure,—but calumny and its effects gradually change the situation, and the first act ends with these words of Don Julian:

> "¡Ah! ¡la calumnia es segura:
> va derecho al corazón!"

As a work of art *El Gran Galeoto* is also without doubt a drama of real merit. The author's verse has been perfected, there is dramatic unity throughout, and above all there is lacking the artificiality and grotesqueness which we find in so many of his productions. In some of the scenes of this wonderful play we find real poetic inspiration.

About the year 1885 Echegaray seems to have come under the influence of the popular and famous Norwegian dramatist, Ibsen. The influence of Ibsen is evident in many of the productions which follow this date. His Spanish romanticism and blind idealism now take a new phase, and at times he seems a realist of the Zola and Ibsen type. The evil consequences of sin assume a pseudo-scientific character and Echegaray becomes a real modern reformer. His tendency to exaggeration, however, does not disappear, and the influence of the pseudo-realism of Ibsen is only a new weapon in his hands. The plays of Echegaray which we know were composed under the direct influence of Ibsen are *Vida alegre y Muerte triste,* 1885, and *El Hijo de don Juan,* 1892. The last play, as the author himself tells us, was inspired by Ibsen's "Gjengangere" (Ghosts), 1881.

That our author is sometimes able to depart from his ordinary vein of pessimistic and sombre productions, where sin and its consequences are punished relentlessly, it is clear from such delightful comedies as *Un Crítico incipiente*, 1891, and *El Poder de la Impotencia*, 1892. The first is a humorous piece of dramatic criticism, while the last, one of Echegaray's best productions, although of a doctrinary character, is a comedy that could have well been written by Moratín or Bretón de los Herreros. Individuals who are absolutely powerless in doing good are, nevertheless, powerful in preventing others from doing good. This our author calls the power of the weak. Both of the above plays are written in prose.

After the success of the long list of plays already mentioned, the romantic tragedies of the early period such as *La Esposa del Vengador*, *En el seno de la muerte*, and *O Locura o Santidad*, his great masterpiece *El Gran Galeoto*, the tragic compositions written under the influence of Ibsen and which deal with problems of hereditary insanity, and the lighter comedies just mentioned, Echegaray enters into a somewhat new phase in his dramatic career. Such powerful and ultra-realistic tragedies as *Vida alegre y Muerte triste* and *El Hijo de don Juan* demanded idea development. The author set himself to develop certain fixed problems at the expense of artistic development. These plays are written in prose. All the important plays of our author written after the year 1890 are written in prose and are essentially character studies, involving as a rule the problems of hereditary insanity or mental caprices bordering on insanity. The most important plays of Echegaray produced in this latter period are *Mancha que limpia*, 1895, *La Calumnia por castigo*, 1897,

*Silencio de Muerte*, 1898, *La Duda*, 1898, *El loco Dios*, 1900 and *La Desequilibrada*, 1903. In the last three there seems to appear, aside from the ordinary characteristics of Echegarayan procedure, an undercurrent symbolic of fatalism.

The fame of Echegaray as a dramatist ends with the last years of the XIXth century. As we have already stated he was the greatest and most popular dramatist of Spain during the last twenty-five years of the XIXth century. Some of his plays are world-famous. In the year 1904 Echegaray was awarded one half of the Nobel Prize for Literature (the other half being awarded to the Provençal poet Mistral). In the first years of the XXth century the drama in Spain finds itself in a new and glorious era, famous with such names as Jacinto Benevente, Martinez Sierra, the Quintero brothers, Eduardo Marquina, and the world-famous novelist Galdós. Echegaray does not belong to this age. In this new era of dramatic triumphs he remained a mere spectator. But, nevertheless, the name of José Echegaray will always be mentioned with high respect in the annals of dramatic literature. His masterpiece, *El Gran Galeoto*, will never be forgotten by those who appreciate good literature.

# BIBLIOGRAPHY

THE following bibliographical references are offered as a help to those who wish to study the life and dramatic works of José Echegaray. They do not pretend to be complete. The Echegaray bibliography is scattered over so many books and reviews that it is well-nigh impossible to collect it in its entirety. Of the seventy odd plays composed by this prolific writer a large number were reviewed in the daily press of Madrid and in many learned reviews in Spain and other countries. The year 1904, when Echegaray received the Nobel Prize, and the year 1916, the year of his death, are especially prolific in brief articles that treat of Echegaray and his work. No attempt has been made to include all those articles and panegyrics here. Only the most important sketches and criticism to be found in the standard works of criticism and literary history are included.


AGUAYO, M., *Echegaray,* Revista Castellana, Valladolid, 1916, II, pp. 309-314.

AICARDO, J. M., *La Literatura contemporánea,* Madrid, 1905, pp. 350-372.

BASTINOS, J. Antonio, *Arte dramático español contemporáneo,* Madrid, 1914, pp 44-46.

BLANCO-GARCIA, P. Francisco, *La Literatura Española en el siglo XIX*, Madrid, 1891-1894, 3 vols. Cf. vol. II, 2nd ed., pp. 390-414.

BUENO, Manuel, *Teatro español contemporáneo,* Madrid, 1909, pp. 11-48.

CAMP, Santiago Valentí, *José Echegaray*, Estudio, Barcelona, 1916, pp. 44-54.

CHANDLER, Frank Wadleigh, *Aspects of Modern Drama*, New York, 1916, pp. 45-47, and 315-320.

CLARÍN, Leopoldo Alas, *Palique*, Madrid, 1893, pp. 1-16. *Crítica Popular*, Valencia, 1896, pp. 83-94.

CLARK, Barrett H., *Masterpieces of Modern Spanish Drama*, New York, 1917. Preface, note on the life of Echegaray, list of Echegaray's plays, and a very brief bibliography. Translation of *El Gran Galeoto* by Eleanor Bontecou.

CUENCA, Carlos Luis, *Homenaje a Don José Echegaray*, La Ilustración Española y Americana, 1905, pp. 162-166.

CURSON, Henri de, *Le Théatre de José Echegaray*, Paris, 1912. Contains an analysis of 61 plays.

EL CABALLERO AUDAZ, *Lo que sé por mí*, Tercera Serie, Madrid, 1917, pp. 7-17.

EGUÍA, Ruiz C., *Echegaray, dramaturgo*, Razón y Fé, Madrid, 1917, vol. XLVII, pp. 26-37; 199-210, and vol. XLVII, pp. 300-312.

ESPASA, *Enciclopedia universal ilustrada, europeo-americana,* Barcelona, vol. XIX, s.v.

ESPINOSA, Aurelio M., Editions with introduction, notes and vocabulary of *El Gran Galeoto*, Boston, 1903, *El Poder de la Impotencia*, Boston, 1906.

FITZ-GERALD, John D., *José Echegaray,* Romanic Review, 1917, pp. 112-114.

FITZMAURICE-KELLY, J. *Echegaray*, Encyclopædia Britannica, vol. VIII, Cambridge, 1910, s. v.

GARDNER, Fanny Hale, *José Echegaray*, Poet Lore, vol. XII, pp. 405-416.

GASSIER, Alfred, *Le Thêatre Espagnol*, Paris, 1898, pp. 276-282.

GEDDES, J. Jr., and JOSSELYN, Freeman M., Edition with introduction and notes of *O Locura o Santidad*, Boston, 1901.

GONZÁLEZ-SERRANO, U., *La Literatura del día*, Barcelona, 1903, pp. 39-52.

GRESHAM, James, *José Echegaray, a sketch*, in his edition of English translation of *El Hijo de don Juan, The Son of don Juan*, Boston, 1911.

LYNCH, Hannah, *José Echegaray*, Contemporary Review, vol. LXIV, pp. 576-595. Reprinted in same writer's edition of English translation of *El Gran Galeoto* and *O Locura o Santidad, The Great Galeota, Folly or Saintliness,* London, 1895.

MÉRIMÉE, E., *José Echegaray et son oevre dramatique*, Bulletin Hispanique, Bordeaux, 1916, vol. XVIII, pp. 247-278.

MONTANER y SIMÓN, *Diccionario hispano-americano de literatura, ciencia y artes*, Barcelona, 1887-1889, s. v.

MAURA, E., *Don José Echegaray*, Boletín de la Real Academia Española, Madrid, 1916, vol. III, pp. 445-453.

NOVO Y COLSOŃ, Pedro de, *Autores dramáticos contemporáneos y joyas del teatro español del siglo XIX*, Madrid, 1881–1885. C.f. vol. II, pp. 535–553, article by Luis Alfonso.

NUEVO, Mundo, *Don José Echegaray y Eizaguirre*, Sept. 22, 1916.

OLMET, Luis Antón del y García Carraffa, Arturo, *Echegaray*, vol. II of *Los Grandes Españoles*, Madrid, 1912.

PALACIO Valdes, Armando y Leopoldo Alas, *La Literatura en 1881*, Madrid, 1882, pp. 81-87.

REVIEW OF REVIEWS: *Spain's Homage to Echegaray*, vol. XXXI, pp. 613-614.

REVILLA, Manuel de, *Obras*, Madrid, 1883.

*Críticas*, Burgos, 1884, vol. I, pp. 195-378.

SALCEDO, Ruiz Angel, *Resumen histórico-crítico de la literatura española*, Madrid, 1910, pp. 432-433.

SANTANDER, F., *Echegaray y su teatro,* Revista Castellana, Valladolid, 1917, vol. III, pp. 1-14.

SHAW, George Bernard, *Dramatic opinions and essays*, 2 vols. New York, 1906. Cf. vol. I, pp. 81-89, vol. II, pp. 186-194.

SMITH, Nora Archibald, *José Echegaray*, Poet Lore, 1909, pp. 218-228.

WALLACE, Elizabeth, *The Spanish Drama of To-day*, Atlantic Monthly, vol. CII, pp. 357-366.

YXART, José, *El arte escénico en España*, 2 vols. Barcelona, 1894-1896. Cf. vol. I, pp. 68-76; 219-265; 294-304; vol. II, pp. 5-38.

## SPANISH VERSIFICATION.

PRACTICALLY all the dramatic works of Spanish literature previous to the year 1900 are composed in verse. The works of the great dramatists of the Classic Period, Lope de Vega, Alarcón, Tirso de Molina, Calderon, etc., are all written in verse (octosyllabic verse). The romanticists of the XIXth century, the duke of Rivas, Gutiérrez, Hartzenbuch, Gil y Zarate, Bretón de los Herreros, Zorrilla, as well as López de Ayala and Tamayo y Baus, composed practically all their plays in verse. The best plays of Echegaray written before the year 1896, *La Esposa del Vengador, En el Seno de la Muerte, En el puño de la Espada,, Cômo empreza y cômo acaba, Mar sin Orillas, Conflicto entre dos deberes, Vida alegre y Muerte triste, El Gran Galeoto*, and many others are composed in verse (generally octosyllabic verse). In our day the national poet Eduardo Marquina composes his famous plays in the traditional octosyllabic and ten syllable metres.

In order to read Spanish verse intelligently one should have at least an elementary knowledge of the fundamental principles that govern Spanish versification. The following brief notes are intended for the benefit of students who may not have access to more detailed studies on the subject.

The fundamental principles of Spanish versification are to be found in metre, assonance or rhyme, and rhythm.

1. Metre is determined by the number of syllables in the verse. In a given poem or series of verses each verse has to have a fixed number of syllables. The *verso llano* (or verse that ends in a word that ends in an unaccented syllable) is taken as the normal type, and the syllables are counted back from the last unaccented syllable of the verse. There is a fixed accent and the verse may or may not have a final unaccented syllable. If it has it is a *verso llano* and is the normal type; and if not, it is a *verso agudo*, ending in a final accented syllable and having one less syllable than the normal type.

In the octosyllabic verse, which is the traditional and common verse of the Spanish drama, the fixed metrical, final accent of each verse falls on the seventh syllable, and if this is a final syllable, the verse is a *verso agudo*, with seven syllables, while if the verse has a final unaccented syllable after the accented seventh, it is a *verso llano*, or normal type of the octosyllabic metre, with eight syllables. Furthermore, if the last word of the verse is a proparoxytone, that is if the last word of the verse has two final unaccented syllables, the verse is a *verso esdrújulo*, with nine syllables. The famous Spanish octosyllabic verse has, therefore, a final seventh accented syllable, and may have after it one or two unaccented syllables. It may have actually, therefore, seven syllables (*verso agudo*), eight syllables (*verso llano*, the normal type that gives this metre its name), or nine syllables (*verso esdrújulo*).

In the same way a Spanish six syllable verse will actually have verses of five, six, or seven syllables, with the final, fixed accent always on the fifth, a Spanish eleven syllable verse will have verses of ten, eleven or twelve syllables, with the final, fixed accent on the tenth, etc.

## THE QUESTION OF SYNALEPHA.

In counting the syllables of a verse it is very often necessary to bring together into one syllable two or more contiguous vowels belonging to different words. This phenomenon is called synalepha, and is a source of much trouble to beginners. Synalepha occurs in Spanish even in prose, especially in familiar speech. In verse it is so common that one cannot begin to read Spanish poetry without understanding its use. Vowels of different words are combined into a single syllable. Only the most stressed or most important vowel of the group retains its original sonority or syllabic value. The other vowel or vowels lose their full syllabic value. If the vowels in question are identical the result may be contraction and not synalepha. The letter *h*, which is silent, does not prevent synalepha or contraction.

The following octossyllabic verses from *El Gran Galeoto* (Act II, Scene IV) will serve to illustrate the various types of octosyllabic verses (*agudos*, *llanos*, *esdrújulos*), as well as various typical cases of synalepha. In the case of synalepha the vowel of any given group that retains its full, original sonority is in black type. The other vowels should be very weakly pronounced so that the whole group may be uttered in one syllable. In these verses the assonance (mentioned below) is í-o.

| | | |
|---|---|---|
| ¡Pues, señor, vaya un enr*e*do! | *verso llano,* | eight syllables |
| y un enredo sin mot*i*vo. | *verso llano,* | eight syllables |
| Aunque también fué loc*u*ra, | *verso llano,* | eight syllables |
| por más que diga mi t*í*o, | *verso llano,* | eight syllables |
| poner bajo el mismo t*e*cho, | *verso llano,* | eight syllables |
| casi en contacto cont*i*nuo, | *verso llano,* | eight syllables |
| á una niña como un s*o*l | *verso agudo.* | seven syllables |
| y á Ernesto, que es guapo ch*i*co, | *verso llano,* | eight syllables |
| con un alma toda fu*e*go | *verso llano,* | eight syllables |
| y dado al romantic*i*smo. | *verso llano,* | eight syllables |
| El perjura que no hay n*a*da, | *verso llano,* | eight syllables |

| | | |
|---|---|---|
| que es un afecto pur*í*simó, | *verso esdrújulo*, | nine syllables |
| que como hermana la qui*e*re, | *verso llano*, | eight syllables |
| y que es su padre mi t*í*o; | *verso llano*, | eight syllables |
| pero yo que soy muy z*o*rro | *verso llano*, | cight syllables |
| y que, aunque joven, he v*i*sto, | *verso llano*, | eight syllables |
| muchas cosas en el m*u*ndo, | *verso llano*, | eight syllables |
| de hermanazgos no me f*í*o, | *verso llano* | eight syllables |
| cuando los hermanos s*o*n | *verso agudo*, | seven syllables |
| tan jóvenes y post*i*zos. | *verso llano*, | eight syllables |

2. Rhyme or consonantal rhyme is the same in Spanish as in English. It is one in which all the letters (vowels and consonants) are the same from the last accented vowel to the end, such as we have in *El Gran Galeoto*, pages 26-61, where the rhyme arrangements are in *redondillas*, quatrains or series of four verses in rhyme, the rhymes in each being in the order abba, cddc, etc., throughout.

In Spanish we have, however, besides rhyme, assonance, where the vowels from the last accented vowel to the end are the same, but the consonants different. In the Spanish drama assonance is as common as rhyme, especially with the octosyllabic metre. When it is used only the even verses are in assonance, as a rule, and the odd verses are left blank. In the verses of *El Gran Galeoto* already studied, Act II, Scene IV, we have assonance in i-o. The words that have the assonances are *motivo*, *tío*, *continuo*, *chico*, *romanticismo*, *purísimo*, *tío, visto, fío, postizos.* It will also be observed that in the case of an *esdrújulo*, the vowel between the accented one and the final does not count. In Act III, Scenes I, II and III of our play we have assonance in a-a, in Scene IV we have assonance in e-a, and in Scenes VIII and IX and in the last part of the last scene we have assonance in e-o. Scenes IV, VIII and IX, the closing verses of the last scene are in eleven syllable metre. The rest of the play is in octosyllabic metre.

3. Rhythm is a harmonious and pleasing distribution of accents within a line or verse. With the best poets we always find a regular and fixed distribution of accents in each of a series of verses. In short metres, such as the Spanish octosyllabic verse, there is, as a rule, only one obligatory accent, which is the final accented seventh syllable. In verses divided into two hemistichs or parts there are two obligatory final accents in each hemistich. Other accents are variable in number and position. By distributing the accents the poet may write at will trochaic, iambic, dactylic, verse, etc., in imitation of the Greek and Latin models. The eleven syllabic verse used in *El Gran Galeoto* is for the most part iambic hendeca-syllable or Spanish heroic verse. The principal accents of this metre are on the sixth and tenth syllables, or else on the fourth, eighth and tenth. If there are other accents these are merely accidental.

[For further information on Spanish versification the student should consult the excellent articles of Ford (*Notes on Spanish Prosody*, in his *Spanish Anthology*, New York, 1901), and of Olmsted (*Spanish Prosody*, in his edition of *Becquer's Legends, Tales and Poems*, Boston, 1907), and the bibliographical references there given.]

# EL GRAN GALEOTO

# A todo el mundo

*dedico este drama, porque á la buena voluntad* de todos, *y no á méritos míos, debo el éxito alcanzado.*

*A todos, sí: al* público, *que con profundo instinto y alto sentido moral, comprendió desde el primer momento la idea de mi obra, y la tomó cariñosamente bajo su protección; á la* prensa, *que tan noble y generosa se ha mostrado conmigo y que me ha dado pruebas de simpatía que jamás olvidaré; á los* actores, *que ya con inmenso talento y altísima inspiración, ya con exquisita delicadeza y profundo sentimiento, unas veces con honrada y magnífica energía, otras con acentos cómicos dignos de los grandes maestros del arte de la declamación, y siempre con la discreción y el tacto más perfectos, cuando había peligros que evitar, han dado vida en la escena á los personajes de mi obra.*

*A todos debo y á todos doy en estas desaliñadas frases prueba humilde, pero sincera de mi profunda gratitud.*

*José Echegaray.*

1 disarranged

# Personajes

---

TEODORA, esposa de

DON JULIÁN

DOÑA MERCEDES, esposa de

DON SEVERO, padres de

PEPITO

ERNESTO

UNO DE LOS TESTIGOS

UN CRIADO

OTRO

**Epoca moderna: año 18...; la escena en Madrid**

# EL GRAN GALEOTO

---

## DIÁLOGO

*La escena representa un gabinete de estudio. A la izquierda, un balcón; á la derecha, una puerta; casi en el centro, una mesa con papeles, libros, y un quinqué encendido; hacia la derecha, un sofá. Es de noche.*

### ESCENA PRIMERA

ERNESTO *sentado á la mesa y como preparándose á escribir*

¡ Nada ! . . . ¡ Imposible ! . . . Esto es luchar con lo imposible. La idea está aquí : ¡ bajo mi ardorosa frente se agita ! ¡ Yo la siento ! A veces luz interna la ilumina, y la veo. La veo con su forma flotante, con sus vagos contornos, y de repente suenan en sus ocultos senos voces que la animan, gritos de dolor, amorosos suspiros, carcajadas sardónicas. . . . ¡ todo un mundo de pasiones que viven y luchan ! . . . ¡ Y fuera de mí se lanzan, y á mi alrededor se extienden, y los aires llenan ! Entonces, entonces me digo á mí mismo : «Este es el instante», y tomo la pluma, y con la mirada fija en el espacio, con el oído atento, conteniendo los latidos del corazón, sobre el papel me inclino... Pero, ¡ah, sarcasmo de la impotencia!... ¡Los contornos se borran, la visión se desvanece, gritos y suspiros se extinguen... y la nada, la nada me rodea!,.. ¡La monotonía del espacio vacío, del pensamiento inerte, del cansancio soñoliento! Más que todo eso: la monotonía de una pluma inmóvil y de un papel sin vida, sin la vida de la idea. ¡Ah!...¡Cuántas formas tiene la nada, y cómo se burla, negra y silenciosa, de creadores de mi estofa! Muchas, muchas formas: lienzos sin colores, pedazos de mármol sin contornos, ruidos confusos de caóticas vibraciones; pero ninguna más irritante, más insolente, más ruin que esta pluma miserable (*Tirándola.*) y que esta hoja en blanco. ¡Ah!...¡No puedo llenarte, pero puedo destruirte, cómplice vil de mis ambiciones y de mi eterna humillación! Así... así... más pequeños... aún más pequeños... (*Rompiendo el papel. Pausa.*) ¿Y qué?... La fortuna es que nadie me ha visto, que, por lo demás, estos furores son ridículos y son injustos. No... pues yo no cedo. Pensaré más, más... hasta vencer ó hasta estrellarme. No, yo nunca me doy por vencido. A ver... á ver si de este modo...

## ESCENA II

ERNESTO y DON JULIAN. *Este por la derecha, de frac y con el abrigo al brazo*

JULIAN. (*Asomándose á la puerta, pero sin entrar.*) Hola, Ernesto.

ERN. ¡ Don Julián !

JULIAN. ¿ Trabajando aún ? . . . ¿ Estorbo ? . . .

ERN. (*Levantándose*) ¡ Estorbar ! . . . ¡ Por Dios, don Julián ! . . . Entre usted, entre usted. ¿ Y Teodora ? (*Don Julián entra.*)

JULIAN. Del teatro real venimos. Subió ella con mis hermanos al tercero á ver no sé qué compras de Mercedes, y yo me encaminaba hacia mi cuarto cuando vi luz en el tuyo y me asomé á darte las buenas noches.

ERN. ¿ Mucha gente ?

JULIAN. Mucha: como siempre; y todos los amigos me preguntaron por ti. Extrañaban que no hubieses ido.

ERN. ¡ Oh ! . . . ¡ Qué interés !

JULIAN. Para el que tú mereces, aun es poco. Y tú, ¿ has aprovechado estas tres horas de soledad y de inspiración ?

ERN. De soledad, sí; de inspiración, no. No vino á mí, aunque rendido y enamorado la llamaba.

JULIAN. ¿Faltó á la cita?

ERN. Y no por vez primera. Pero si nada hice de provecho, hice en cambio un provechoso descubrimiento.

JULIAN. ¿Cuál?

ERN. Este: que soy un pobre diablo.

JULIAN. ¡Diablo! Pues me parece descubrimiento famoso.

ERN. Ni más ni menos.

JULIAN. ¿Y por qué tal enojo contigo mismo? ¿No sale acaso el drama que me anunciaste el otro día?

ERN. ¡Qué ha de salir! Quien sale de quicio soy yo.

JULIAN. ¿Y en qué consiste ese desaire que juntos hacen la inspiración y el drama á mi buen Ernesto?

ERN. Consiste en que, al imaginarlo, yo creí que la idea del drama era fecunda, y al darle forma, y al vestirla con el ropaje propio de la escena, resulta una cosa extraña, difícil, antidramática, imposible.

JULIAN. Pero, ¿en qué consiste lo imposible del caso? Vamos, díme algo, que ya voy entrando en curiosidad. (*Sentándose en el sofá.*)

ERN. Figúrese usted que el principal personaje, el que crea el drama, el que lo desarrolla, el que lo anima, el que provoca la catástrofe, el que la devora y la goza, no puede salir á escena.

JULIAN. ¿Tan feo es? ¿Tan repugnante ó tan malo?

ERN. No es eso. Feo, como cualquiera, como usted ó como yo. Malo, tampoco: ni malo ni bueno. Repugnante, no en verdad: no soy tan escéptico, ni tan misántropo, ni tan desengañado de la vida estoy que tal cosa afirme ó que tamaña injusticia cometa.

JULIAN. Pues entonces, ¿cuál es la causa?

ERN. Don Julián, la causa es que el personaje de que se trata no cabría materialmente en el escenario.

JULIAN. ¡Virgen Santísima, y qué cosas dices! ¿Es drama mitológico por ventura y aparecen los titanes?

ERN. Titanes son, pero á la moderna.

JULIAN. ¿En suma?

ERN. En suma, ese personaje es... *todo el mundo*, que es una buena suma.

JULIAN. *¡Todo el mundo!* Pues tienes razón, ¡todo el mundo no cabe en el teatro! He ahí una verdad indiscutible y muchas veces demostrada.

ERN. Pues ya ve usted cómo yo estaba en lo cierto.

JULIAN. No completamente. *Todo el mundo* puede condensarse en unos cuantos tipos ó caracteres. Yo no entiendo de esas materias, pero tengo oído que esto han hecho los maestros más de una vez.

ERN. Sí; pero en mi caso, es decir, en mi drama, no puede hacerse.

JULIAN. ¿Por qué?

ERN. Por muchas razones que fuera largo el explicar y sobre todo á estas horas.

JULIAN. No importa: vengan algunas de ellas.

ERN. Mire usted, cada individuo de esa masa total, cada cabeza de ese monstruo de cien mil cabezas, de ese titán del siglo, que yo llamo *todo el mundo*, toma parte en mi drama un instante brevísimo, pronuncia una palabra no más, dirige una sola mirada, quizá toda su acción en la fábula es una sonrisa: aparece un punto negro y se aleja, obra sin pasión, sin saña, sin maldad, indiferente y distraído, por distracción muchas veces.

JULIAN. ¿Y qué?

ERN. Que de esas palabras sueltas, de esas miradas fugaces, de esas sonrisas indiferentes, de todas esas pequeñas murmuraciones y de todas esas pequeñísimas maldades; de todos esos que pudiéramos llamar rayos insignificantes de luz dramática, condensados en un foco y en una familia, resulta el incendio y la explosión, la lucha y las víctimas. Si yo represento la totalidad de las gentes por unos cuantos tipos ó personajes simbólicos, tengo que poner en cada uno lo que realmente está disperso en muchos, y resulta falseado el pensamiento; unos cuantos tipos en escena, repulsivos por malvados, inverosímiles porque su maldad no tiene objeto; y resulta además el peligro de que se crea que yo trato de pintar una sociedad infame, corrompida y cruel, cuando yo sólo pretendo demostrar que ni aun las acciones más insignificantes son insignificantes ni perdidas para el bien ó para el mal, porque sumadas por misteriosas influencias de la vida moderna, pueden llegar á producir inmensos efectos.

JULIAN. Mira, no sigas: todo eso es muy metafísico. Algo vislumbro, pero al través de muchas nubes. En fin, tú entiendes de estas cosas más que yo: si se tratase de giros, cambios, letras y descuentos, otra cosa sería.

ERN. ¡Oh, no: usted tiene buen sentido, que es lo principal!

JULIAN. Gracias, Ernesto, eres muy amable.

ERN. ¿Pero está usted convencido?

JULIAN. No lo estoy. Debe haber manera de salvar ese inconveniente.

ERN. ¡Si fuera eso solo!

JULIAN. ¿Hay más?

ERN. Ya lo creo. Dígame usted, ¿cuál es el resorte dramático por excelencia?

JULIAN. Hombre, yo no sé á punto fijo qué es eso que tú llamas *resorte dramático;* pero yo lo que te digo es que no me divierto en los dramas en que no hay amores, sobre todo, amores desgraciados, que para amores felices tengo bastante con el de mi casa y con mi Teodora.

ERN. Bueno, magnífico; pues en mi drama, casi, casi no puede haber amores.

JULIAN. Malo, pésimo, digo yo. Oye, no sé lo qué es tu drama, pero sospecho que no va á interesar á nadie.

ERN. Ya se lo dije yo á usted. Sin embargo, amores pueden ponerse y hasta celos.

JULIAN. Pues con eso, con una intriga interesante y bien desarrollada, con alguna situación de efecto...

ERN. No, señor; eso sí que no: todo ha de ser sencillo, corriente, casi vulgar... como que el drama no puede brotar á lo exterior. El drama va por dentro de los personajes: avanza lentamente: se apodera hoy de un pensamiento, mañana de un latido del corazón: mina la voluntad poco á poco.

JULIAN. ¿Pero todo eso en qué se conoce? Esos estragos interiores, ¿qué manifestación tienen? ¿quién se los cuenta al espectador? ¿dónde los ve? Hemos de estar toda la noche á caza de una mirada, de un suspiro, de un gesto, de una frase suelta. ¡Pero hijo, eso no es divertirse! ¡para meterse en tales profundidades se estudia filosofía!

ERN. Nada: repite usted como un eco todo lo que yo estoy pensando.

JULIAN. No; yo tampoco quiero desanimarte. Tú sabrás lo que haces. Y...¡vaya!... aunque el drama sea un poco pálido, parezca pesado y no interese... con tal que luego venga la catástrofe con bríos... y que la explosión... ¿eh?

ERN. ¡Catástrofe... explosión!... casi casi, cuando cae el telón.

JULIAN. ¿Es decir, que el drama empieza cuando el drama acaba?

ERN. ¡Estoy por decir que sí; aunque ya procuraré ponerle un poquito de calor.

JULIAN. Mira, lo que has de hacer es escribir *ese segundo drama*, ése que empieza cuando acaba el primero: porque el primero, según tus noticias no vale la pena y ha de darte muchas.

ERN. De eso estaba yo convencido.

JULIAN. Y ahora lo estamos los dos; tal maña te has dado, y tal es la fuerza de tu lógica. ¿Y qué título tiene?

ERN. ¡Título!... Pues ésa es otra... Que no puede tener título.

JULIAN. ¿Qué?... ¿Qué dices?... ¡Tampoco!...

ERN. No, señor; á no ser que lo pusiéramos en griego para mayor claridad, como dice don Hermógenes.

JULIAN. Vamos, Ernesto; tú estabas durmiendo cuando llegué; soñabas desatinos y me cuentas tus sueños.

ERN. ¿Soñando?... sí. ¿Desatinos?... tal vez. Y sueños y desatinos cuento. Usted tiene buen sentido y en todo acierta.

JULIAN. Es que para acertar en este caso no se necesita gran penetración. Un drama en que el principal personaje no sale; en que casi no hay amores; en que no sucede nada que no sucede todos los días; que empieza al caer el telón en el último acto, y que no tiene título, yo no sé cómo puede escribirse, ni cómo puede representarse, ni cómo ha de haber quien lo oiga, ni cómo es drama.

ERN. ¡Ah!... Pues drama es. Todo consiste en darle forma, y en que yo no sé dársela.

JULIAN. ¿Quieres seguir mi consejo?

ERN. ¿Su consejo de usted?... ¿De usted mi amigo, mi protector, mi segundo padre? ¡Ah!... ¡Don Julián!...

JULIAN. Vamos, vamos, Ernesto, no hagamos aquí un drama sentimental á falta del tuyo, que hemos declarado imposible. Te preguntaba si quieres seguir mi consejo

ERN. Y yo decía que sí.

JULIAN. Pués déjate de dramas, acuéstate, descansa, vente á cazar conmigo mañana, mata unas cuantas perdices, con lo cual te excusas de matar un par de personajes de tu obra, y quizá de que el público haga contigo otro tanto, y á fin de cuentas tú me darás las gracias.

ERN. Eso sí que no será. El drama lo escribiré.

JULIAN. Pero, desdichado, tú lo concebiste en pecado mortal.

ERN. No sé cómo; pero lo concebí. Lo siento en mi cerebro; en él se agita; pide vida en el mundo exterior, y he de dársela.

JULIAN. Pero ¿no puedes buscar otro argumento?

ERN. Pero ¿y esta idea?

JULIAN. Mándala al diablo.

ERN. ¡Ah, don Julián! ¿Usted cree que una idea que se ha aferrado aquí dentro se deja anular y destruir porque así nos plazca? Yo quisiera pensar en otro drama, pero éste, este maldito de la cuestión, no le dejará sitio hasta que no brote al mundo.

JULIAN. Pues nada... que Dios te dé feliz alumbramiento.

ERN. Ahí está el problema, como dice Hamlet.

JULIAN. ¿Y no podrías echarlo á la inclusa literaria de las obras anónimas? (*En voz baja y con misterio cómico.*)

ERN. ¡Ah, don Julián! Yo soy hombre de conciencia. Mis hijos, buenos ó malos, son legítimos, llevarán mi nombre.

JULIAN. (*Preparándose á salir.*) No digo más. Lo que ha de ser está escrito.

ERN. Eso quisiera yo. No está escrito, por desgracia; pero no importa, si yo no lo escribo, otro lo escribirá.

JULIAN. Pues á la obra, y buena suerte, y que nadie te tome la delantera.

## ESCENA III

ERNESTO, DON JULIAN Y TEODORA

TEOD. (*Desde fuera.*) ¡Julián!... ¡Julián!...

JULIAN. Es Teodora.

TEOD. ¿Estás aquí, Julián?

JULIAN. (*Asomándose á la puerta*). Sí; aquí estoy: entra.

TEOD. (*Entrando*) Buenas noches, Ernesto.

ERN. Buenas noches, Teodora. ¿Cantaron bien?

TEOD. Como siempre. Y usted, ¿ha trabajado mucho?

ERN. Como siempre: nada.

TEOD. Pues para eso mejor le hubiera sido acompañarnos. Todas mis amigas me han preguntado por usted.

ERN. Está visto que *todo el mundo* se interesa por mí.

JULIAN. ¡Ya lo creo! . . . Como que de *todo el*

*mundo* vas á hacer el principal personaje de tu drama. Figúrate si les interesará tenerte por amigo.

TEOD. (*Con curiosidad*). ¿Un drama?

JULIAN. ¡Silencio!... Es un misterio... no preguntes nada. Ni título, ni personajes, ni acción, ni catástrofe... ¡lo sublime! Buenas noches, Ernesto. Vamos, Teodora.

ERN. Adiós, don Julián.

TEOD. Hasta mañana.

ERN. Buenas noches.

TEOD. (*A don Julián.*) ¡Qué preocupada estaba Mercedes!

JULIAN. Y Severo hecho una furia.

TEOD. ¿Por qué sería?

JULIAN. ¡Qué sé yo! En cambio, Pepito, alegre por ambos.

TEOD. Ese siempre. Y hablando mal de todos.

JULIAN. Personaje para el drama de Ernesto.
(*Salen Teodora y don Julián por la derecha.*)

## ESCENA IV

### ERNESTO

Diga lo que quiera don Julián, yo no abandono mi empresa. Fuera insigne cobardía. No, no retrocedo... adelante. (*Se levanta y se pasea agitadamente. Después se acerca al balcón.*) Noche, protégeme, que en tu negrura, mejor que en el manto azul del día, se dibujan los contornos luminosos de la inspiración. Alzad vuestros techos, casas mil de la heroica villa, que por un poeta en necesidad suma no habéis de hacer menos que por aquel diablillo cojuelo que traviesamente os descaperuzó. Vea yo entrar en vuestras salas y gabinetes damas y caballeros, buscando, tras las agitadas horas de públicos placeres, el nocturno descanso. Lleguen á mis aguzados oídos las mil palabras sueltas de todos ésos que á Julián y á Teodora preguntaban por mí. Y como de rayos dispersos de luz, por diáfano cristal recogidos, se hacen grandes focos, y como de líneas cruzadas de sombra se forjan las tinieblas, y de granos de tierra los montes, y de gotas de agua los mares, así yo, de vuestras frases perdidas, de vuestras vagas sonrisas, de vuestras miradas curiosas, de esas mil trivialidades que en cafés, teatros, reuniones y espectáculos dejáis dispersas y que ahora flotan en el aire, forje también mi drama, y sea el modesto cristal de mi inteligencia lente que traiga al foco luces y sombras, para que en el broten el incendio dramático y la trágica explosión de la catástrofe. Brote mi drama, que hasta título tiene, porque allá, bajo la luz del quinqué, veo la obra inmortal del inmortal poeta florentino, y dióme en italiano lo que en buen español fuera buena imprudencia y mala osadía escribir en un libro ó pronunciar en la escena. Francesca y Paolo, válganme vuestros amores. (*Sentándose á la mesa y preparándose á escribir.*) ¡ Al drama! . . . ¡ El drama empieza! Primera hoja: ya no está en blanco . . . ya tiene título. (*Escribiendo.*) EL GRAN GALEOTO (*Escribe febrilmente.*)

FIN DEL DIÁLOGO

# ACTO PRIMERO

*La escena representa un salón en casa de don Julián. En el fondo una gran puerta; más allá, un pasillo transversal; después, la puerta del comedor, que permanece cerrada hasta el final del acto. — A la izquierda del espectador, en primer término, un balcón; en segundo término, una puerta. — A la derecha, en primero y segundo término, respectivamente, dos puertas. — En primer término, á la derecha, un sofá; á la izquierda, una pequeña mesa y una butaca. Todo lujoso y espléndido. Es de día, á la caída de la tarde.*

## ESCENA PRIMERA

TEODORA y DON JULIAN. *Teodora, asomada al balcón; don Julián, sentado en el sofá y pensativo.*

TEOD. ¡Hermosa puesta del sol!
¡qué nubes, qué luz, qué cielo!
Si en los espacios azules
está el porvenir impreso,
como dicen los poetas 5
y nuestros padres creyeron;
si en la esfera de zafir

escriben astros de fuego<br>
de los humanos destinos<br>
el misterioso secreto,<br>
y es esta espléndida tarde<br>
página y cifra del nuestro, 5<br>
¡ qué venturas nos aguardan,<br>
qué porvenir tan risueño,<br>
cuánta vida en nuestra vida,<br>
cuánta luz en nuestro cielo !<br>
¿No es verdad? 10<br>
*(Dirigiéndose á don Julián.)*<br>
Pero, ¿qué piensas?<br>
Ven, Julián, mira aquel lejos.<br>
¿No me contestas?

JULIAN (*Distraído*) ¿Qué quieres? 15

TEOD. (*Acercándose á el.*)<br>
¿No me escuchaste?

JULIAN El deseo<br>
siempre está donde estás tú,<br>
que eres su imán y su centro; 20<br>
pero á veces, importunos,<br>
acosan al pensamiento<br>
preocupaciones, cuidados,<br>
negocios . . .

TEOD. De que reniego, 25<br>
pues de mi esposo me roban<br>
la atención, si no el afecto.<br>
Pero, ¿qué tienes, Julián?

(*Con sumo cariño.*)
Algo te preocupa, y serio
debe ser, pues hace rato
que estás triste y en silencio.
¿Tienes penas, Julián mío? 5
Pues las reclama mi pecho,
que si mis dichas son tuyas,
tus tristezas yo las quiero.

JULIAN. ¿Penas? ¡siendo tú dichosa!
¿Tristezas? ¡cuando poseo 10
de todas las alegrías
en mi Teodora el compendio!
En mostrando tu semblante,
de la salud de tu cuerpo
como fruto, esas dos rosas. 15
y tus ojos ese fuego,
que es el resplandor del alma
que se extiende por dos cielos:
en sabiendo, como sé,
que yo solo soy tu dueño, 20
¿qué tristezas ni qué penas,
ni qué sombras, ni qué duelos
pueden impedirme ser,
del corazón hasta el centro,
el hombre más venturoso 25
que existe en el universo?

TEOD. ¿Y tampoco son disgustos
de negocios?

JULIAN — El dinero<br>
no me hizo perder jamás<br>
ni el apetito ni el sueño;<br>
y como siempre le tuve,<br>
no aversión, mas sí desprecio, 5<br>
él se vino hacia mis arcas<br>
sumiso como un cordero.<br>
Y fuí rico, y rico soy,<br>
y hasta que muera de viejo,<br>
don Julián de Garagarza, 10<br>
en Madrid, Cádiz y el Puerto,<br>
gracias á Dios y á su suerte,<br>
será, Teodora, el banquero,<br>
si no de mayor fortuna,<br>
más seguro y de más crédito. 15

TEOD. Pues bien, entonces, ¿por qué<br>
estabas hace un momento<br>
tan preocupado?

JULIAN. Pensaba,<br>
y pensaba en algo bueno. 20

TEOD. No es maravilla, Julián,<br>
siendo tuyo el pensamiento.<br>
(*Con mimo*)

JULIAN ¡Lisonjera! ¡No me adules!

TEOD. Pero sepa yo qué es ello. 25

JULIAN Quería encontrar remate<br>
para cierta obra de mérito.

TEOD. ¿Para la fábrica nueva?

JULIAN No es obra de piedra y fierro.

TEOD. ¿Pero es? . . .

JULIAN De misericordia

obra, y de lejanos tiempos

deuda sagrada. 5

TEOD. (*Con alegría natural y espontánea.*)

Ya sé

JULIAN ¿sí?

TEOD Pensabas en Ernesto.

JULIAN Acertaste. 10

TEOD. ¡Pobre chico!

Bien hacías ¡Es tan bueno,

tan noble, tan generoso!

JULIAN Todo á su padre: ¡modelo

de lealtad y de hidalguía! 15

TEOD. ¡Vaya! ¡Y de mucho talento!

Veintiséis años . . . ¡Y sabe!

¿Qué sé yo? . . ¡Si es un portento!

JULIAN ¿Sí sabe? ¡Pues ahí es nada!

Y ése es el mal: porque temo 20

que allá, perdido en sublimes

esferas su pensamiento,

no sepa andar por el mundo,

que es prosaico y traicionero,

y no se paga jamás 25

de sutilezas de ingenio

hasta tres siglos después

de habérselas dicho el muerto.

TEOD En teniéndote por guía...
porque tú, Julián...¿no es cierto?
no piensas abandonarle.
JULIAN ¡Abandonarle! Muy negro
era menester que fuese 5
el corazón que en el pecho
me late, para que yo
olvidase lo que debo
á su padre. Por el mío
arriesgó don Juan de Acedo 10
nombre, caudal, y la vida
acaso. Si ese mancebo
necesita de mi sangre,
que la pida, que la tengo
siempre dispuesta á pagar 15
deudas del nombre que llevo.
TEOD. ¡Bien, Julián! ¡Ese eres tú!
JULIAN Tú lo viste: me dijeron
hace un año, ó poco más,
que el buen don Juan era muerto, 20
y que su hijo en la miseria
quedaba, y faltóme tiempo
para meterme en el tren,
ir á Gerona, cogerlo
casi á la fuerza, hasta aquí 25
volver con él, y en el centro
de esta sala colocarle
y decirle: «Eres el dueño

de lo mío, que ya es tuyo,
porque á tu padre lo debo.
Si quieres, amo serás
de esta casa, ó cuando menos
por segundo padre tenme, 5
que si no alcanzo al primero,
por lo mucho que valía,
tras él voy con el deseo;
y en cuanto á quererte . . . ¡ vaya !
quién es más, allá veremos.» 10

TEOD. Es verdad: eso dijiste:
y el pobre... como es tan bueno,
rompió á llorar como un niño
y colgósete del cuello.

JULIAN Es un niño, dices bien, 15
y pensar en él debemos
y en su porvenir. Y ahí tienes
por qué preocupado y serio
me viste ha poco, buscando
forma y modo á lo que pienso 20
hacer por él, mientras tú
me brindabas con un bello
panorama, y un celaje,
y un rojo sol, que desdeño,
desde que brillan dos soles 25
más puros en nuestro cielo.

TEOD. Pues no adivino tu idea.
¿Lo que piensas por Ernesto

hacer?

JULIAN — Tal dije.

TEOD. — ¡Pues cabe
hacer más de lo que has hecho!
Hace un año vive aquí 5
con nosotros, como nuestro.
Ni aun cuando hijo tuyo fuese,
ni mi propio hermano siendo,
le mostraras más cariño,
ni en mí hallará más afecto. 10

JULIAN — Está bien; pero no basta.

TEOD. — ¿Que no basta? Pues yo creo...

JULIAN — Tú piensas en lo presente
y yo en lo futuro pienso.

TEOD. — ¿Lo futuro? ¿El porvenir? 15
Pues fácilmente lo arreglo.
Mira: vive en esta casa
cuanto quiera, años enteros,
como suya, pues es claro:
hasta que allá con el tiempo, 20
por ley justa y natural,
se enamore y le casemos.
Entonces de tu fortuna
le entregas con noble empeño
una buena parte; vanse 25
á su casa desde el templo
*ella y él*; que el refrán dice,
y yo á su razón me atengo,

*que el casado, casa quiere,*
y no porque vivan lejos
hemos de olvidarle nunca
ni hemos de quererle menos.
Y ya lo ves: son felices; 5
nosotros más, por supuesto.
Tienen hijos: ¿quién lo duda?
¡Nosotros más!... Por lo menos
(*Con mimo.*)
una niña!... Se enamoran
ella y el hijo de Ernesto
y se casan..
(*La volubilidad, el gracejo, los matices de este parlamento quedan encomendados al talento de la actriz.*) 15

JULIAN ¡Pero adónde
vas á parar, justo cielo! (*Riendo.*)

TEOD. Hablabas del porvenir,
y este porvenir te ofrezco;
que si no es éste, Julián, 20
ni me gusta, ni lo acepto.

JULIAN Es como tuyo, Teodora.
Pero...

TEOD. ¡Ay, Dios! ya tiene un pero.

JULIAN Mira, Teodora, nosotros 25
pagamos lo que debemos
al amparar á ese joven
desdichado como á deudo,

y á la obligación se agregan
exigencias del afecto,
que vale tanto por sí
como por hijo de Acedo.
Pero en toda acción humana 5
siempre hay algo de complejo;
siempre hay dos puntos de vista,
y siempre tiene un reverso
la medalla. Con lo cual
decirte, Teodora, quiero, 10
que en este caso son casos,
más que contrarios, diversos
el de dar y recibir
protección y que me temo
que al fin le sepan mis dones 15
á humillación por lo menos.
El es noble, y es altivo,
y casi, casi, soberbio,
y á su situación, Teodora,
es forzoso hallarle término. 20
Hagamos por él aún más,
y finjamos hacer menos.

TEOD. ¿De qué modo?

JULIAN Vas á ver...
Pero él viene. (*Mirando hacia el fondo*). 25

TEOD. Pues silencio.

## ESCENA II

TEODORA *y* DON JULIAN; ERNESTO *por el fondo*

JULIAN Bien venido.<br>
ERN. Don Julián . .<br>
Teodora . . .<br>
(*Saluda como distraído y se sienta junto á la mesa, quedando pensativo.*) 5<br>
JULIAN ¿Qué tienes? (*Acercándose á él*)<br>
ERN. Nada.<br>
JULIAN Algo noto en tu mirada,<br>
y algo revela tu afán. 10<br>
¿Tienes penas?<br>
ERN. ¡Desvarío!<br>
JULIAN ¿Tienes disgustos?<br>
ERN. Ninguno.<br>
JULIAN ¿Acaso soy importuno? 15<br>
ERN. ¡Usté importuno! ¡Dios mío!<br>
(*Levantándose y acercándose á él con efusión.*)<br>
No; su cariño le inspira;<br>
su amistad es su derecho, 20<br>
y lee dentro de mi pecho<br>
cuando á los ojos me mira.<br>
Algo tengo, sí señor;<br>
pero todo lo diré.<br>
Don Julián, perdone usté; 25

y ustétambién, ¡ por favor ! (*A Teodora.*)
Yo soy un loco, y un niño,
y un ingrato ; en puridad,
ni merezco su bondad,
ni merezco su cariño. 5
Yo debiera ser dichoso
con tal padre y tal hermana,
y no pensar en mañana,
y, sin embargo, es forzoso
que piense. La explicación 10
me sonroja ... ¿ No me entienden ? ...
Sí, sí ; que ustedes comprenden
que es falsa mi situación.
De limosna vivo aquí. (*Con energía.*)

TEOD. Esa palabra ... 15

ERN. Teodora...

TEOD. Nos ofende.

ERN. Sí, señora,
dije mal ; pero es así.

JULIAN Y yo te digo que no. 20
Si de limosna, y no escasa,
alguien vive en esta casa,
ése no eres tú ; soy yo.

ERN. Conozco, señor, la historia
de dos amigos leales, 25
y de no sé qué caudales
de que ya no hago memoria.
A mi padre le hace honor

rasgo de tal hidalguía;
pero yo la mancharía
si cobrase su valor.
Yo soy joven, don Julián,
y aunque es poco lo que valgo, 5
bien puedo ocuparme en algo
para ganarme mi pan.
¿Será esto orgullo, ó manía?
No lo sé y el tino pierdo;
pero yo siempre recuerdo 10
que mi padre me decía:
«Lo que tú puedas hacer,
«á nadie lo has de encargar;
«lo que tú puedas ganar,
«á nadie lo has de deber,» 15

JULIAN De modo que mis favores
te humillan y te envilecen;
tus amigos te parecen
importunos acreedores.

TEOD. Usted discurre en razón; 20
usted sabe mucho, Ernesto;
pero mire usted, en esto
sabe más el corazón.

JULIAN Esa altivez desdeñosa
no mostró mi padre al tuyo. 25

TEOD. La amistad, según arguyo,
era entonces otra cosa.

ERN. ¡Teodora!

TEOD. Es su noble afán.
(*Por don Julián.*)
ERN. Es cierto, soy un ingrato;
ya lo sé, y un insensato;
perdone usted, don Julián. 5
(*Profundamente conmovido.*)
JULIAN ¡ Su cabeza es una fragua !
(*A Teodora, refiriéndose á Ernesto.*)
TEOD. ¡ Si no vive en este mundo !
(*A don Julián, lo mismo.*) 10
JULIAN Eso sí ; sabio y profundo,
y se ahoga en un charco de agua.
ERN. ¡ Que de esta vida no sé, (*Tristemente.*)
ni hallo en ella mi camino !
Es verdad ; mas lo adivino, 15
y tiemblo no sé por qué.
¡ Que en las charcas de este mundo,
como en alta mar me anego !
Me espantan más, no lo niego,
mucho más que el mar profundo, 20
Hasta el límite que marca
suelta arena el mar se tiende ;
por todo el espacio extiende
emanaciones la charca.
Contra las olas del mar 25
luchan brazos varoniles ;
contra miasmas sutiles
no hay manera de luchar.

Y yo, si he de ser vencido,
que no humilla el vencimiento,
en el último momento
sólo quiero, y sólo pido,
ver ante mí, y esto baste, 5
al mar que tragarme quiera,
á la espada que me hiera
ó á la roca que me aplaste.
A mi adversario sentir,
su cuerpo y su furia ver, 10
y despreciarle al caer.
y despreciarle al morir.
Y no aspirar mansamente,
mi pecho, que se dilata,
el veneno que me mata 15
esparcido en el ambiente.

JULIAN ¿No te dije? ¡perdió el seso! (*A Teodora*)

TEOD. Pero, Ernesto, ¿á dónde vamos?

JULIAN Con el caso que tratamos,
¿qué tiene que ver todo eso? 20

ERN. Que al verme, señor, aquí,
amparado y recogido,
lo que he pensado he creído
que piensan todos de mí:
que al cruzar la Castellana 25
en el coche con ustedes,
con Teodora ó con Mercedes
al salir una mañana,

al ir á su palco al Real,
al cazar en su dehesa,
al ocupar en su mesa
de diario el mismo sitial,
aunque á su optimismo pese, 5
el caso es, señor, que todos,
con estos ó aquellos modos,
se preguntan: ¿Quién es ése?
¿Será su deudo? ¡No tal!
¿Su secretario? — Tampoco. 10
¿Su socio? — Si es socio, poco
trajo á la masa social.
Eso murmuran.

JULIAN — Ninguno.
Eso sueñas. 15

ERN. — Por favor...

JULIAN — Pues venga un nombre.

ERN. — Señor...

JULIAN — Me basta sólo con uno.

ERN. — Pues lo tienen á la mano: 20
está en el piso tercero.

JULIAN — ¿Y se llama?

ERN. — Don Severo.

JULIAN — ¿Mi hermano?

ERN. — Justo: su hermano. 25
¿No basta? Doña Mercedes,
su noble esposa y señora.
¿Más? Pepito. Conque ahora

á ver qué dicen ustedes.

JULIAN (*Con enojo.*)
Pues digo, y juro, y no peco,
que *él*, más que severo es raro;
que *ella* charla sin reparo, 5
y que el chico es un muñeco.

ERN. Repiten lo que oyen.

JULIAN Nada:
ésas son cavilaciones.
Donde hay nobles intenciones, 10
y á la gente que es honrada
le importa poco del mundo,
cuanto el murmurar más recio,
más soberano el desprecio,
y más grande y más profundo. 15

ERN. Eso es noble, y eso siente
todo pecho bien nacido;
pero yo tengo aprendido
que lo que dice la gente
con maldad ó sin maldad, 20
según aquel que lo inspira,
comienza siendo mentira
y acaba siendo verdad.
¿La murmuración que cunde
nos muestra oculto pecado, 25
y es reflejo del pasado
ó inventa el mal y lo funde?
¿Marca con sello maldito

la culpa que ya existía,
ó engendra la que no había
y da ocasión al delito?
El labio murmurador,
¿es infame, ó es severo? 5
¿es cómplice, ó pregonero?
¿es verdugo, ó tentador?
¿remata, ó hace caer?
¿hiere por gusto, ó por pena?
y si condena, ¿condena 10
por justicia, ó por placer?
Y no lo sé, don Julián:
quizá las dos cosas son:
pero el tiempo y la ocasión
y los hechos lo dirán. 15

JULIAN Mira, no entiendo ni jota:
esas son filosofías,
ó mejor dicho, manías,
conque tu ingenio se agota:
pero, en fin, tampoco quiero 20
afligirte ni apurarte.
¿Quieres, Ernesto, crearte,
independiente y severo
una posición honrada
por tí sólo? ¿no es así? 25

ERN. Don Julián...

JULIAN Responde.

ERN. (*Con alegría.*) Sí.

JULIAN — Pues la tienes alcanzada.
Me encuentro sin secretario,
de Londres me brindan uno,
pero no quiero ninguno,
más que un ser estrafalario  5
(*Con tono de cariñosa reconvención.*)
que su pobreza prefiere,
su trabajo y sueldo fijo,
como cualquiera, á ser hijo
de quien **por** hijo le quiere.  10

ERN. — Don Julián...

JULIAN — Pero exigente
(*Con tono de cómica severidad.*)
y hombre de negocios soy,
y mi dinero no doy  15
nunca de balde á la gente
Y he de explotarte á mi gusto,
y he de hacerte trabajar,
y en mi casa has de ganar
únicamente lo justo.  20
Diez horas para el tintero,
despierto al amanecer,
y contigo voy á ser
más severo que Severo.
¡ Esto serás ante el mundo !  25
víctima de mi egoísmo . . .
¡ pero, Ernesto, siempre el mismo
de mi pecho en lo profundo !

(*Sin poder contenerse, cambiando de tono y abriéndole los brazos.*)

ERN. (*Abrazándole.*)
¡Don Julián!...

JULIAN ¿Aceptas? 5

ERN. Sí.
Haga de mí lo que quiera.

TEOD. Al fin domaste la fiera.
(*A don Julián.*)

ERN. ¡Todo por usted! (*A don Julián.*) 10

JULIAN Así:
así te quiero. Ahora escribo
á mi buen corresponsal:
le doy, como es natural,
las gracias, y que concibo 15
el mérito extraordinario
del inglés, de que hace alarde;
pero que ha llegado tarde,
porque tengo secretario.
(*Dirigiéndose á la primera puerta de la* 20
*derecha.*)
Eso ahora... pero andar
deja al tiempo... ¡Socio luego!
(*Volviéndose y fingiendo que habla con*
*misterio.*) 25

TEOD. ¡Calla, por Dios!... te lo ruego,
¡no ves que se va á espantar. (*A don*
*Julián.*)

(*Sale don Julián por la derecha, primer término, riendo bondadosamente y mirando á Ernesto.*)

## ESCENA III

TEODORA *y* ERNESTO. *Al final de la escena anterior, comenzó á anochecer, de suerte que al llegar á este momento, el salón está ya completamente oscuro*

ERN. ¡Ah, que su bondad me abruma!
¿cómo pagarle, Dios mío?
(*Se deja caer en el sofá profundamente conmovido. Teodora se acerca á él y queda á su lado en pie.*) 5

TEOD. Dando de mano al desvío
y á la desconfianza. En suma,
teniendo juicio y pensando
que de veras le queremos,
que lo que fuimos seremos, 10
y en fin, Ernesto, que cuando
Julián promete, no es vana
su promesa, y la mantiene,
de manera que usted tiene,
en *él*, padre, y en *mí*, hermana. 15

## ESCENA IV

TEODORA, ERNESTO, DOÑA MERCEDES *y* DON SEVERO. *Los dos últimos se presentan por el fondo, y en él se detienen. El salón á oscuras: sólo una pequeña claridad en el balcón, hacia el cual se dirigen Teodora y Ernesto*

ERN. ¡Ah, qué buenos son ustedes!
TEOD. ¡Y usted qué niño! De hoy más
no ha de estar triste.
ERN. ¡Jamás!
MER. (*Desde fuera en voz baja.*) 5
!Qué oscuro!
SEV. (*Lo mismo.*) Vamos, Mercedes.
MERC. No hay nadie. (*Pasando la puerta.*)
SEV. (*Deteniéndola.*) Gente hay allí.
(*Se quedan los dos en el fondo observando*) 10
ERN. Teodora, mi vida entera,
y otras mil, gustoso diera,
por el bien que recibí.
No me debe usted juzgar
por mi carácter adusto: 15
de hacer alardes no gusto
de amor, pero yo sé amar
y también aborrecer,
que en propios iguales modos,
en mi pecho encuentran todos 20

lo que en él quieren poner.
MERC. ¿Qué dicen? (*A don Severo.*)
SEV. Cosas extrañas
que no oigo bien.
(*Teodora y Ernesto siguen hablando en* 5
*voz baja en el balcón.*)
MERC. Si es Ernesto.
SEV. Y ella... es ella, por supuesto.
MERC. Teodora.
SEV. Las mismas mañas, 10
siempre juntos. ¡No hay paciencia!...
Y esas palabras... ¿Qué espero?
MERC. Es verdad: vamos, Severo,
es ya caso de conciencia.
Todos dicen... 15
SEV. (*Avanzando.*) A Julián
he de hablar hoy mismo, y claro.
MERC. Pero también es descaro,
el de ese hombre.
SEV. ¡Voto á san! 20
El de él y el de ella.
MERC. ¡Infeliz!
¡es tan niña! De ella yo
me encargo.
TEOD. ¿A otra casa? No. 25
¿Dejarnos? ¡Pues es feliz
la idea! No lo consiente
Julián.

SEV. (*A doña Mercedes.*) Ni yo, ¡ vive Cristo !
(*En voz alta.* )
¡ Eh, Teodora ! ¿ No me has visto ?
¿ Se recibe así á la gente ?
TEOD. (*Separándose del balcón.*) 5
¡ Don Severo ! . . . ¡ qué placer !
MERC. ¿ No se come ? ¿ qué, no es hora ?
TEOD. ¡ Ah, Mercedes !
MERC. Sí, Teodora.
SEV. *A parte.* 10
(¡ Cómo finge, mujer !)
TEOD. Pediré luces.
*Tocando un timbre que está sobre la mesa.*
SEV. Bien hecho : 15
la gente debe ver claro.
UN CRIADO. Señora . . . (*Presentándose en el fondo.*)
TEOD. Luces, Genaro. (*El criado sale.*)
SEV. Quien sigue el camino estrecho 20
del deber y la lealtad
y es siempre lo que parece,
no se apura ni enrojece.
por la mucha claridad.
*Entran criados con luces : el salón queda espléndidamente iluminado.* 25
TEOD. (*Después de una pequeña pausa, dice con naturalidad y riendo.*)

Eso me parece á mí,
y á cualquiera. *Dirigiéndose á doña Mercedes.*)

MERC. Por supuesto.

SEV. ¡Hola, hola, don Ernesto! 5
¿conque estaba usted aquí,
con Teodora, cuando entré? (*Con intención.*)

ERN. Aquí estaba, por lo visto. (*Fríamente*)

SEV. Por lo visto no, ¡por Cristo! 10
que en las sombras no se ve.
(*Acercándose á él, dándole la mano y mirándole fijamente. Teodora y doña Mercedes hablan aparte.*) (*Aparte.*)
(Su color es encendida, 15
y parece haber llorado.
De niño y de enamorado
se llora sólo en la vida.)
¿Y Julián? (*En voz alta.*)

TEOD. Pues allá dentro 20
se fué á escribir una carta.

ERN. (*Aparte.*)
(Aunque mi paciencia es harta,
me saca éste de mi centro.)

SEV. Voy á verle. ¿La comida 25
da tiempo? (*A Teodora*)

TEOD. Tiempo de sobra.

SEV. Bien: pues manos á la obra.

(*Aparte restregándose las manos y mirando á Teodora y á Ernesto.*)
Adiós. (*En voz alta.*)

TEOD. Adiós.

SEV. ¡Por mi vida! 5

(*Aparte y mirándoles rencorosamente al salir.*)

## ESCENA V

TEODORA, DOÑA MERCEDES *y* ERNESTO. *Las dos mujeres se sientan en el sofá. Ernesto de pie.*

MERC. Hoy no nos ha visto usté. (*A Ernesto.*)

ERN. No.

MERC. Ni tampoco á Pepito. 10

ERN. No, señora.

MERC. Está solito
allá arriba.

ERN. (*Aparte.*) (Que lo esté.)

MERC. (*A Teodora con seriedad y misterio.*) 15
(Yo quisiera que se fuese,
porque he de hablarte . . . )

TEOD. ¿Tú?

MERC. (*Lo mismo que antes.*) Sí,
De asuntos graves. 20

TEOD. Pues dí.

MERC. Come no se marche ése . . .

TEOD. No te comprendo. (*Todo en voz baja.*)

MERC. ¡ Valor !
(*Le coge la mano y se la estrecha afectuosamente. Teodora la mira con asombro sin comprender nada.*)
Haz porque nos deje presto. 5

TEOD. (Si tú te empeñas . . .)
(*En voz alta.*) Ernesto . . .
Si me hiciera usté un favor . . .

ERN. Con mil amores.

MERC. (*Aparte.*) (Con uno 10
y sobra.)

TEOD. Pues . . . suba usté . . .
y á Pepito . . . vamos . . que . . .
pero acaso le importuno
con este encargo. 15

ERN. No tal.

MERC. (*Aparte.*)
(¡ Con qué dulzura y qué tono !)

TEOD. Que. . . si renovó el abono
de nuestro palco del Real, 20
como le dije : ya sabe.

ERN. Con mucho gusto : al momento.

TEOD. Gracias, Ernesto : yo siento . . .

ERN. ¡ Por Dios ! (*Dirigiéndose al fondo.*)

TEOD. ¡ Adiós ! 25
(*Sale Ernesto por el fondo.*)

## ESCENA VI

TEODORA y DOÑA MERCEDES.

TEOD. ¡ Cosa grave !
¡ Alarmada estoy, Mercedes !
Ese tono, ese misterio...
¿ Se trata ?
MERC. De algo muy serio. 5
TEOD. ¿ Pero de quién ?
MERC. Pues de ustedes.
TEOD. ¿ De nosotros ?
MERC. De Julián,
de Ernesto y de tí. Y ves. 10
TEOD. ¿ De los tres ?
MERC. Sí ; de los tres
(*Teodora contempla con asombro á doña Mercedes : pequeña pausa.*)
TEOD. Pues dí pronto. 15
MERC. (*Aparte.*) (¡ Ganas dan !...
Pero no cierro la mano,
que es el asunto escabroso.)
Mira, Teodora, mi esposo
(*En voz alta.*) 20
al fin del tuyo es hermano,
y de una familia todos
venimos á ser, de suerte
que en la vida y en la muerte,

por estos ó aquellos modos,
nos debemos protección,
y ayuda, y consejo . . es claro:
hoy, yo te brindo mi amparo,
y mañana, en la ocasión, 5
sin sonrojos en la tez
acudimos al de ustedes.

TEOD. Y cuenta con él Mercedes.
Pero acaba de una vez.

MERC. Hasta hoy no he querido dar, 10
Teodora, este paso; pero
hoy ya me dijo Severo:
«De aquí no puedo pasar;
»que de mi hermano el honor,
»cual mi propio honor estimo, 15
»y al ver ciertas cosas, gimo
»de vergüenza y de dolor.
»Siempre indirectas oyendo,
»siempre sonrisas mirando,
»siempre los ojos bajando 20
»y de las gentes huyendo.
»En este de infamias lid
»es necesario acabar,
»que no puedo tolerar
»lo que se dice en Madrid.» 25

TEOD. ¿Sigue, sigue!

MERC. Pues escucha:

*(Pausa Doña Mercedes mira fijamente á Teodora.)*

TEOD. Vamos: ¿qué dicen, Dios mío?

MERC. Mira: cuando suena el río,
agua lleva, poca ó mucha. 5

TEOD. ¡No sé si suena ó no suena,
si agua lleva mucha ó poca,
sólo sé que ya estoy loca!

MERC. (*Aparte.*)
(¡Pobre niña, me da pena!) 10
(*En voz alta*)
Pero, en fin, ¿no has comprendido?

TEOD. ¿Yo? No.

MERC. (*Aparte.*) (Torpeza es también.)
(*En voz alta y con energía.*) 15
¡Está en ridículo!

TEOD. ¿Quién?

MERC. ¿Quién ha de ser? Tu marido.

TEOD. (*Levantándose con ímpetu.*)
¿Julián? ¡Mentira! Villano 20
quien habló de esa manera.
¡Ah, si Julián le tuviera
al alcance de su mano!...

MERC. (*Calmándola y haciéndola sentar otra vez junto á ella.*) 25
Necesitara tener
manos para mucha gente,
que si la fama no miente

todos son de un parecer.

TEOD. Pero, en fin, ¿qué infamia es ésa?
¿cuál el misterio profundo?
¿qué es lo que repite el mundo?

MERC. ¿Conque te pesa? 5

TEOD. ¡Me pesa!
¿Pero qué?

MERC. Mira, Teodora,
eres muy niña: á tu edad
se cometen, sin maldad, 10
ligerezas... ¡y se llora
después tanto!... ¿Todavía
no me comprendes? Dí.

TEOD. No.
¿Por qué he de entenderte yo 15
si esa historia no es la mía?

MERC. Es la historia de un infame,
y es la historia de una dama...

TEOD. ¿Y ella se llama?... (*Con ansia.*)

MERC. Se llama... 20

TEOD. ¿Qué importa cómo se llame?...

(*Conteniéndola Teodora se separa de doña Mercedes sin levantarse del sofá: doña Mercedes se le acerca á medida que habla. Este doble movimiento de repugnancia y alejamiento en Teodora, de protección é insistencia en doña Mercedes, muy marcado.*) 25

MERC. El hombre es ruin y traidor,
y exige de la mujer,
por una hora de placer
una vida de dolor.
La deshonra del esposo, 5
de la familia la ruina,
y la frente que se inclina
bajo sello vergonzoso;
como social penitencia
el desprecio en los demás, 10
¡y Dios que castiga aún más
con la voz de la conciencia!
(*Ya están al otro extremo del sofá. Teodora huye del contacto de doña Mercedes, inclina hacia atrás el cuerpo y se cubre* 15 *el rostro con las manos y al fin ha comprendido*)
Ven á mis brazos, Teodora...
(*Aparte.*) (¡Pobrecilla, me enternece!)
ese hombre no te merece. 20

TEOD. Pero, ¿adónde va, señora,
con ese arrebato ciego?
¡Si no es miedo, ni es espanto:
si no hay en mis ojos llanto:
si en mis ojos sólo hay fuego; 25
¿A quién oyó lo que oí?
¿Quién es ese hombre? ¡Será!...
¿él acaso?...

MERC. Ernesto.

TEOD. ¡Ah!... (*Pausa.*)

La mujer, yo, ¿no es así?
(*Señal afirmativa de doña Mercedes, Teodora se levanta.*) 5
Pues escucha, aunque te irrites:
cual es más vil, no sé yo:
si el mundo que lo inventó,
ó tú que me lo repites.
¡Maldito el labio mundano 10
que dió forma á tal idea!
¡y maldito quien lo crea
por imbécil ó villano!
¡tan maldita y tan fatal,
que sólo por arrancarla 15
de mi memoria y llevarla
en ella, soy criminal!
¡Jesús! nunca lo pensé:
¡Jesús! nunca lo creí:
¡tan desgraciado lo ví, 20
que como á hermano le amé!
Julián fué su providencia...
y él es noble y caballero...
(*Deteniéndose, observando á doña Mercedes y volviendo el rostro. Aparte.*) 25
(¡Cómo me mira!... No quiero
alabarle en su presencia.
¡De modo que ya, Dios mío,

he de fingir) (*Acongojándose visiblemente.*)

MERC. Vamos, calma.

TEOD. (*En voz alta*)

¡ Qué angustia siento en el alma... 5
qué desconsuelo.. y que frío!...
¡ Por la pública opinión
de esta manera manchada!...
¡ Ay, mi madre!... ¡ Madre amada!
¡ Ay, Julián del corazón! 10
(*Cae sollozando en el sillón de la izquierda; doña Mercedes procura consolarla.*)

MERC. Yo no presumí... perdona...
no llores... Si no creía 15
nada serio.., ¡ Si sabía
que tu pasado te abona!
Pero siendo el caso así,
has de confesar también
que de cada ciento, cien, 20
de tu Julián y de tí
dirán con justo rigor
que fuisteis harto imprudentes
dando ocasión á las gentes
á pensar en lo peor. 25
Tú, joven de veinte abriles;
Julián, en su cuarentana,
y Ernesto la mente llena

de fantásticos perfiles...
en sus asuntos tu esposo,
el otro en sus fantasías,
más ocasiones que días,
y tu pensamiento ocioso. 5
La gente que os ve en paseo,
la gente que os ve en el Real...
mal hizo en pensar tan mal;
pero, Teodora, yo creo
que, en justicia y en razón, 10
en todo lo que ha pasado,
el mundo puso el pecado
y vosotros la ocasión.
La moderna sociedad,
permíteme que te diga, 15
que la culpa que castiga
con más saña y más crueldad
y en forma más rica y varia
en la mujer y en el hombre,
es, Teodora, y no te asombre, 20
*la imprudencia temeraria.*

TEOD. (*Volviéndose á doña Mercedes, pero sin atender á su parlamento*)
¿Y dices que Julián?...

MERC. ¡Sí! 25
es la mofa de la corte.
Y tú...

TEOD. De mí... no te importe.

Pero Julián... ¡ay de mí!...
tan bueno... tan caballero...
cuando sepa...

MERC. Lo sabrá,
porque ahora mismo estará 5
hablando con él Severo.

TEOD. ¡Qué dices!

JULIAN (*Desde dentro.*) ¡Basta!

TEOD. ¡Dios mío!

JULIAN ¡Que me dejes! 10

TEOD. ¡Ay de mí!
Vámonos pronto de aquí...

MERC. (*Después de asomarse á la primera puerta de la derecha.*)
¡Sí, pronto, que es desvarío! 15
(*Teodora y doña Mercedes se dirigen hacia la izquierda.*)

TEOD. (*Deteniéndose.*)
Pero, ¿por qué... ¡No parece
sino que yo soy culpable! 20
¡La calumnia miserable
no mancha sólo, envilece!
¡Es engendro tan maldito,
que, contra toda evidencia,
se nos mete en la conciencia 25
con el sabor del delito!
¿Por qué de un necio terror
me oprimen los ruines lazos?

(*En este momento aparecen en la puerta derecha, primer término, don Julián, y detrás don Severo.*)

Julián!

JULIAN ¡Teodora! 5

(*Corre á él, que la oprime apasionadamente contra su pecho.*)

¡En mis brazos!
¡Este es tu puesto de honor!

## ESCENA VII

TEODORA, DOÑA MERCEDES, DON JULIAN y DON SEVERO. — *El orden de los personajes, de izquierda á derecha, es el siguiente: doña Mercedes, Teodora, don Julián y don Severo; Teodora y don Julián formando un grupo; ella en los brazos de él.*

JULIAN Pase por primera vez, 10
y, ¡vive Dios!, que es pasar;
pero quién vuelva á manchar
con lágrimas esta tez,
(*Señalando á Teodora.*)
yo juro, y no juro en vano, 15
que no pasa, si tal pasa,
los umbrales de esta casa,
aun siendo mi propio hermano.

(*Pausa. Don Julián acaricia y consuela á Teodora.*)

SEV. Repetí lo que la gente
murmura de tí, Julián.

JULIAN Infamias. 5

SEV. Pues lo serán.

JULIAN Lo son.

SEV. Pues deja que cuente
lo que todo el mundo sabe.

JULIAN ¡ Vilezas, mentiras, lodo ! 10

SEV. Pues repetirlo...

JULIAN No es modo
ni manera de que acabe. (*Pequeña pausa.*)

SEV. No tienes razón.

JULIAN Razón, 15
y de sobra. Fuera bueno
que me trajeses el cieno
de la calle á mi salón.

SEV. ¡ Pues será !

JULIAN ¡ Pues no ha de ser ! 20

SEV. ¡ Mío es tu nombre !

JULIAN ¡ No más !

SEV. ¡ Y tu honor !

JULIAN Piensa que estás
delante de mi mujer. (*Pausa*) 25

SEV. (*A don Julián, en voz baja.*)
(¡ Si nuestro padre te viera !)

JULIAN ¡ Cómo !... Severo, ¿ qué es esto?

MERC. Silencio, que viene Ernesto.

TEOD. (*Aparte.*)
(¡ Qué vergüenza !... ¡ Si él supiera ! . . .)
(*Teodora vuelve el rostro y lo inclina; don Julián la mira fijamente.*) 5

## ESCENA VIII

TEODORA, DOÑA MERCEDES, DON JULIAN, DON SEVERO, ERNESTO *y* PEPITO: *los dos últimos por el foro.— El orden de los personajes es el siguiente, de izquierda á derecha: doña Mercedes, Pepito, Teodora, don Julián, Ernesto y don Severo. Es decir, que al entrar Ernesto y Pepito, se separan; aquél viene al lado de don Julián, éste al de Teodora.*

ERN. (*Observando un instante desde el fondo el grupo de Teodora y de don Julián. Aparte.*)
(Ella y él . . . no es ilusión.
¿ Si será lo que temí ? . . . 10
Lo que á ese imbécil oí . . .
(*Refiriéndose á Pepito, que en este momento entra.*)
No fué suya la invención.)

PEP. (*Que ha mirado con extrañeza á uno y otro lado*) 15

Salud y buen apetito,
porque se acerca la hora.
Aquí está el palco, Teodora.
Don Julián...

TEOD. Gracias, Pepito. 5

ERN. ¿Qué tiene Teodora? (*A don Julián en voz baja.*)

JULIAN Nada.

ERN. (*Como antes.*)
Está pálida y llorosa. 10

JULIAN (*Sin poder contenerse.*)
No te ocupes de mi esposa.
(*Pausa. Don Julián y Ernesto cruzan una mirada.*)

ERN. (*Aparte*) 15
(¡ Miserables ! Fué jornada
completa)

PEP. Loco de atar.
(*A su madre en voz baja señalando á Ernesto.*) 20
Porque le dí cierta broma
con Teodora, toma, toma...
¡ que me quería matar !

ERN. (*En voz alta, triste pero resuelto con ademán noble.*) 25
Don Julián, pensé despacio
en su generosa oferta...
y aunque mi labio no acierta...

y anda torpe y va reacio...
y aunque conozco que yo
ya de su bondad abuso...
en fin, señor, que rehuso
el puesto que me ofreció. 5

JULIAN ¿Por qué?

ERN. Porque soy así:
un poeta, un soñador.
Nunca mi padre, señor,
hizo carrera de mí. 10
Yo necesito viajar;
soy rebelde y soy inquieto;
vamos, que no me sujeto,
como otros, á vegetar.
Espíritu aventurero, 15
me voy cual nuevo Colón...
En fin, si tengo razón,
que lo diga don Severo.

SEV. Habla usted como un abismo
de ciencia y como hombre ducho. 20
Hace mucho tiempo, mucho,
que pensaba yo lo mismo.

JULIAN ¿Conque sientes comezón
de mundos y de viajar?
¿Conque nos quieres dejar? 25
Y los medios... ¿cuáles son?

SEV. El... se marcha... á donde sienta
que ha de estar más á su gusto.

Lo demás, para ser justo,
ha de correr de tu cuenta. (*A don Julián*)
Cuanto quiera... no concibo
que economice ni un cuarto. 5

ERN. Ni yo deshonras reparto, (*A don Severo.*)
ni yo limosnas recibo. (*Pausa.*)
Pero, en fin, ello ha de ser;
y como la despedida 10
fuera triste, que en la vida...
quizá no les vuelva á ver,
es lo mejor que ahora mismo
nos demos un buen abrazo... (*A don Julián.*) 15
y rompamos este lazo...
y perdonen mi egoísmo.
(*Profundamente conmovido.*)

SEV. (*Aparte.*)
(¡Cómo se miran los dos!) 20

TEOD. (*Aparte.*)
(¡Qué alma tan hermosa tiene!)

ERN. Don Julián, ¿qué le detiene?
Este es el último adiós.
(*Dirigiéndose á don Julián con los brazos abiertos. Don Julián le recibe en los suyos y se abrazan fuertemente.*) 25

JULIAN No: las cosas bien miradas,

ni el último ni el primero:
es el abrazo sincero
de dos personas honradas.
De ese proyecto insensato
no quiero que me hables más. 5

SEV. Pero ¿no se va?

JULIAN Jamás.
Yo no mudo á cada rato
el punto en que me coloco,
ó aquel plan á que me ciño, 10
por los caprichos de un niño
ó los delirios de un loco.
Y aun fuera mayor mancilla
el sujetar mis acciones
á necias murmuraciones 15
de la muy heroica villa.

SEV. Julián...

JULIAN Basta, que la mesa
nos aguarda.

ERN. ¡Padre mío!... 20
no puedo.

JULIAN Pues yo confío
en que podrás. ¿O te pesa
mi autoridad?

ERN. ¡Por favor! 25

JULIAN Vamos allá, que ya es hora.
Dale tú el brazo á Teodora (*A Ernesto.*)
y llévala al comedor.

ERN. ¡A Teodora!... (*Mirándola y retrocediendo.*)

TEOD. (*Lo mismo*) ¡Ernesto!...

JULIAN Sí:
como siempre. 5
(*Movimiento de duda y vacilación en ambos. Al fin se acerca Ernesto, y Teodora se apoya en su brazo, pero sin mirarse, cortados, conmovidos, violentos. Todo ello queda encomendado á los actores.*) 10
(*A Pepito.*) Y vamos, tú...
el tuyo ... ¡por Belcebú!
á tu madre. Y junto á mí,
(*Pepito da el brazo á doña Mercedes.*)
Severo, mi buen hermano: 15
(*Apoyándose en él un momento.*)
¡y así ... en familia comer,
y que rebose el placer
con las copas en la mano!
¿Hay quien murmura? corriente, 20
pues que murmure ó que grite:
á mí se me da un ardite
de lo que dice la gente.
Palacio quisiera ahora
con paredes de cristal, 25
y que á través del fanal
viesen á Ernesto y Teodora
los que nos traen entre manos,

porque entendiesen así
lo que se me importa á mí
de calumnias y villanos.
Cada cual siga su suerte.
(*En este momento aparece un criado con* 5
*traje de etiqueta; de negro y corbata*
*blanca.*)
La comida.

CRIADO Está servida.
(*Abre la puerta del comedor; se ve la* 10
*mesa, los sillones, la lámpara colgada del*
*techo, etc., en suma, una mesa y un come-*
*dor de lujo.*)

JULIAN Pues hagamos por la vida,
que ya harán por nuestra muerte. 15
Vamos ... (*Invitando á que pasen.*)

TEOD. Mercedes...

MERC. Teodora...

TEOD. Ustedes...

MERC. Pasen ustedes ... 20

TEOD. No: vé delante, Mercedes.
(*Doña Mercedes y Pepito pasan delante*
*y se dirigen al comedor lentamente. Teo-*
*dora y Ernesto quedan todavía inmóviles*
*y como absortos en sus pensamientos. Er-* 25
*nesto fija en ella la vista.*)

JULIAN (*Aparte.*) (¡ El la mira y ella llora!)
(*Siguen muy despacio á doña Mercedes:*

*Teodora vacilante, deteniéndose y enjugando el llanto.*)

(¿Se hablan bajo?) (*A don Severo, aparte.*)

SEV. No lo sé; 5

pero presumo que sí.

JULIAN ¿Por qué vuelven hacia aquí

(*Ernesto y Teodora se han detenido y han vuelto la cabeza furtivamente. Después siguen andando.*) 10

la vista los dos?... ¿por qué?

SEV. Ya vas entrando en razón.

JULIAN ¡Voy entrando en tu locura!

¡Ah! ¡la calumnia es segura:

va derecho al corazón! 15

(*El y don Severo se dirigen al comedor.*)

FIN DEL ACTO PRIMERO

# ACTO SEGUNDO

*La escena representa una sala pequeña y excesivamente modesta, casi pobre. — Una puerta en el fondo: á la derecha del espectador otra puerta, una sola: á la izquierda un balcón. — Un estante de pino con algunos libros: una mesa: un sillón. — La mesa á la izquierda: sobre ella una fotografía de don Julián en su marco, al lado otro marco igual al anterior, pero sin ningún retrato: ambos son bastante pequeños. También sobre la mesa un quinqué apagado, un ejemplar de «La Divina Commedia», del Dante, abierto por el episodio de Francesca, y un pedazo de papel medio quemado: además papeles sueltos y el manuscrito de un drama. — Algunas sillas. — Todos los muebles pobres, en armonía con la pobreza del cuarto. — Es de día.*

## ESCENA PRIMERA

DON JULIAN, DON SEVERO *y un* CRIADO. *Los tres entran por el fondo.*

SEV. ¿No está el señor?

CRIADO No, señor;

ha salido muy temprano.

SEV. No importa, le esperaremos;
porque supongo que al cabo
don Ernesto ha de venir.

CRIADO Es lo probable, que el amo 5
es puntual como ninguno,
y como ninguno exacto.

SEV. Bueno; vete.

CRIADO Sí, señor.
Si algo mandan, fuera aguardo. 10
(*Sale el Criado por el fondo.*)

## ESCENA II

DON JULIAN *y* DON SEVERO

SEV. ¡Qué modestia! (*Mirando el cuarto.*)

JULIAN ¡Qué pobreza,
dirás mejor!

SEV. ¡Vaya un cuarto! 15
Una alcoba sin salida:
(*Mirando por la puerta de la derecha; luego por la del foro.*)
la antesala: este despacho,
y pare usté de contar. 20

JULIAN Y empiece á contar el diablo,
de ingratitudes humanas,
de sentimientos bastardos,

de pasiones miserables,<br>
de calumnias de villanos,<br>
y no acabará jamás,<br>
aunque cuente aprisa y largo.

SEV. La casualidad lo quiso. 5

JULIAN Ese no es el nombre, hermano.<br>
Lo quiso . . . quien yo me sé.

SEV. ¿Y quién es ése? ¿Yo acaso?

JULIAN Tú también. Y antes que tú<br>
los necios desocupados 10<br>
que de mi honor y mi esposa<br>
sin rebozo murmuraron.<br>
Y después yo, que cobarde,<br>
y celoso, y ruin, y bajo,<br>
dejé salir de mi hogar 15<br>
á ese mancebo, que ha dado<br>
pruebas de ser tan altivo,<br>
como yo de ser ingrato.<br>
Ingrato: ¿porque tú ves<br>
mi ostentación y regalo? 20<br>
¿el lujo de mis salones,<br>
de mis trenes el boato,<br>
el crédito de mi firma,<br>
los caudales que gozamos?<br>
Pues todo, ¿sabes de dónde 25<br>
procede?

SEV. Y hasta olvidado<br>
lo tengo.

JULIAN Tú lo dijiste:
el olvido: premio humano
á toda acción generosa,
á todo arranque bizarro,
que en su modesto retiro, 5
sin trompetas ni reclamos,
realice un hombre por otro,
como amigo ó como honrado.

SEV. Eres injusto contigo:
tu gratitud llegó á tanto, 10
que tu honor y hasta tu dicha
casi le has sacrificado.
¿Qué más se puede pedir?
¿Ni qué más hiciera un santo?
Todo su término tiene; 15
lo bueno como lo malo.
Es orgulloso... empeñóse...
y aunque te opusiste... claro...
él es dueño de sí mismo,
de su persona y sus actos, 20
y una mañana dejó,
porque quiso, tu palacio,
y en este zaquizamí
metióse desesperado.
Es muy triste, pero amigo, 25
¿quién ha podido evitarlo?

JULIAN Todos, si estuviesen todos
atentos á sus cuidados,

y de las honras ajenas
no se llevasen pedazos,
al resolver de sus lenguas
y al señalar de sus manos.
¿Qué les importaba, dí, 5
que yo, cumpliendo un sagrado
deber, hiciese de Ernesto
un hijo y ella un hermano?
¿Es suficiente en mi mesa,
ó en paseo, ó en el teatro, 10
junto á una joven hermosa,
ver á un mancebo gallardo,
para suponer infamias
y para aventar escándalos?
¿Acaso el amor impuro, 15
en este mundo de barro,
es entre hombres y mujeres
único supremo lazo?
¿No hay amistad, gratitud,
simpatía, ó tal estamos, 20
que juventud y belleza
sólo se unen en el fango?
Y aun suponiendo que fuese
lo que suponen menguados,
¿qué falta me hacen los necios 25
para vengar mis agravios?
Para ver tengo mis ojos,
para observar mis cuidados,

y para vengar injurias
hierro, corazón y manos.

SEV. Bien, pues hicieron muy mal
las gentes que murmuraron;
pero yo, que soy tu sangre, 5
que llevo tu nombre . . . vamos,
¿debí callar?

JULIAN ¡No, por Dios!
pero debiste ser cauto,
y con prudencia á mí sólo, 10
hablarme del triste caso,
y no encender un volcán
en mi casa y en mi tálamo.

SEV. Pequé sólo por exceso
de cariño: pero aun cuando 15
reconozca yo mi culpa,
aunque confiese que el daño
entre el mundo y yo lo hicimos,
él infamias inventando,
y yo recogiendo torpe 20
los ecos mil del escándalo
(*Acercándose á él con expresión de interés y cariño.*)
lo que es tú, Julián, estás
limpio y libre de pecado; 25
conque escrúpulos desecha
y ensancha tu pecho hidalgo.

JULIAN No puedo ensanchar mi pecho,

que albergue en mi pecho he dado
á eso mismo que condenan
mi entendimiento y mis labios.
Yo las calumnias del mundo
con indignación rechazo: 5
mienten, digo á voz en cuello,
y repito, por lo bajo,
«¿y si mintiendo no mienten,
y si aciertan por acaso?»
De modo que en esta lucha 10
de dos impulsos contrarios,
para los demás soy juez,
y soy su cómplice en tanto.
Y en mí mismo me consumo:
conmigo mismo batallo: 15
la duda crece y se ensancha:
ruge el corazón airado,
y ante mis ojos de sangre
se extiende rojizo manto.

SEV. ¡Deliras! 20

JULIAN No, no deliro:
el alma te muestro, hermano.
¿Acaso piensas que Ernesto
mi casa hubiese dejado
si yo, con firme propósito 25
de oponerme y de estorbarlo,
cuando él cruzó sus umbrales,
le hubiera salido al paso?

Se fué, porque allá en el fondo
de mi espíritu turbado,
traidora voz resonaba
diciéndome: «deja franco
»el portillo á la salida, 5
»y cierra bien en pasando,
»que en fortalezas de honor
»es mal alcaide el confiado.»
Y en lo interior un deseo,
y otro deseo en los labios: 10
y «vuelve, Ernesto,» en voz alta,
y «no vuelvas,» por lo bajo,
á un mismo tiempo, con él,
con apariencia de franco,
¡era hipócrita y cobarde, 15
era astuto y era ingrato!
No, Severo, no se porta
así quien es hombre honrado.
(*Se deja caer en el sillón que está junto
á la mesa, mostrando gran abatimiento.*) 20

SEV. Así se porta quien cuida
á esposa de pocos años,
y de espléndida hermosura
y de espíritu exaltado.

JULIAN ¡No hables tal de mi Teodora! 25
es espejo que empañamos
con nuestro aliento al querer
imprudentes acercarnos.

¡ La luz del sol reflejaba  
antes que del mundo airado  
las mil cabezas de víboras  
se acercasen á mirarlo !  
Hoy bullen en el cristal 5  
dentro del divino marco ;  
pero sombras son sin cuerpo,  
ha de espantarlas mi mano,  
y otra vez verás en él  
el limpio azul del espacio. 10

SEV. Mejor que mejor.

JULIAN No así.

SEV. ¿ Pues qué falta ?

JULIAN ¡ Falta tanto !  
Advierte que estas internas 15  
luchas que te he confesado,  
han hecho de mi carácter  
otro carácter contrario.  
Ahora mi esposa me ve  
siempre triste, siempre huraño ; 20  
no soy el mismo que he sido;  
por serlo me esfuerzo en vano ;  
y ella debe preguntarse  
al observar este cambio :  
«¿ Dónde está Julián, Dios mío ? 25  
»¿ dónde está mi esposo amado ?  
»¿ Qué hice yo para perder  
»su confianza ? ¿ Qué villanos

»pensamientos le preocupan
»y le arrancan de mis brazos?»
Y una sombra entre los dos
se va de este modo alzando,
que nos separa y aleja 5
lentamente y paso á paso,
No ya más dulces confianzas,
no ya más coloquios plácidos,
heláronse las sonrisas,
los acentos son amargos, 10
en mí recelos injustos,
en Teodora triste llanto,
yo herido en mi amor, y en ella
heridos, y por mi mano,
su dignidad de mujer, 15
y su cariño. Así estamos.

SEV. Pues estamos en camino
de perdición. Si tan claro
ves lo que pasa, ¿por qué
no pones remedio? 20

JULIAN Es vano
mi esfuerzo. Yo sé que soy
injusto de ella dudando:
es más, si por hoy no dudo;
pero ¿quién dice que al cabo, 25
yo perdiendo poco á poco,
y él poco á poco ganando,
no será verdad mañana

lo que hoy mentira juzgamos?
(*Cogiendo por el brazo á don Severo y hablándole con reconcentrada energía y mal contenidos celos.*)
Yo, el celoso; yo, el sombrío; 5
yo, el injusto; yo, el tirano;
y él, el noble y generoso,
siempre dulce y resignado;
con la aureola del martirio,
que á un mozo apuesto y gallardo 10
sienta tan bien á los ojos
de toda mujer; es llano
que él lleva la mejor parte
en este injusto reparto,
y que gana lo que pierdo, 15
sin que pueda remediarlo.
Esto es lo cierto, no dudes,
y agrega que con reclamos
infames, llega traidor
el mundo á los dos en tanto, 20
y aunque dicen con verdad
«¡ pero si no nos amamos !»
á fuerza de repetirlo,
acabarán por pensarlo.

SEV. Si así estás, mira, Julián, 25
yo creo que lo más sano
es dejar que Ernesto lleve
todo su proyecto á cabo.

JULIAN Pues á estorbárselo vengo.
SEV. Pues eres un insensato.
¿A *Buenos Aires* pretende
marcharse? pues ni de encargo:
váyase en buque de vela, 5
viento fresco y mucho trapo.
JULIAN Y á los ojos de Teodora
¿quieres que aparezca ingrato,
y miserable, y celoso?
¿Tú no sabes, pobre hermano, 10
que hombre á quien mujer desprecia
podrá ser su amante al cabo,
pero que si lleva nombre
de esposo, está deshonrado?
¿Quieres que mi esposa siga, 15
á través del mar amargo,
con el pensamiento triste,
al infeliz desterrado?
¿No sabes que si yo viese
sobre su mejilla el rastro 20
de una lágrima no más,
y pensase que era el llanto
por Ernesto, la ahogaría
entre mis crispadas manos?
(*Con reconcentrado furor.*) 25
SEV. Pues entonces, ¿qué debemos
hacer?
JULIAN Sufrir: que el cuidado

de preparar desenlace
para este drama está á cargo
del mundo que lo engendró
solamente con mirarnos;
tal su mirada es fecunda 5
en lo bueno y en lo malo.

SEV. Presumo que viene gente.
(*Acercándose al fondo*)

CRIA. No puede tardar el amo.
(*Desde dentro, pero sin presentarse*) 10

## ESCENA III

DON JULIAN *y* DON SEVERO; PEPITO, *por el fondo.*

SEV. ¿Tú por aquí?

PEP. (*Aparte*) (Toma, ya
lo supieron! Me he lucido.)
(*En voz alta.*)
Pues todos hemos venido: 15
adiós, tío: adiós, papá.
(*Aparte.*)
(Nada: saben lo que pasa.)
(*En voz alta.*)
¿Conque ustedes... por supuesto, 20
buscando vendrán á Ernesto?

SEV. ¿Pues á quién en esta casa?

JULIAN ¿Y tú estarás al corriente
de lo que trata ese loco?

PEP. ¿De lo que...? Pues claro: un poco.
Sé... lo que sabe la gente.

SEV. ¿Y es mañana cuando...? 5

PEP. No:
mañana se ha de marchar,
y tiene que despachar
hoy mismo.

JULIAN (*Con extrañeza.*) ¿Qué dices? 10

PEP. ¿Yo?
lo que dijo Pepe Uceda
á la puerta del casino
ayer noche: y es padrino
del Vizconde de Nebrada. 15
Conque si él no acierta... Pero,
¡miran ustedes de un modo!
¿Acaso no saben.?...

JULIAN Todo.
(*Con resolución, previniendo un movimiento de su hermano.*) 20

SEV. Nosotros...

JULIAN (*Aparte.*) (Calla, Severo.)
Que parte mañana, oímos, (*En voz alta.*)
y que hoy... se juega la vida... 25
y á evitar duelo y partida...
como es natural, vinimos...
(*En toda esta escena don Julián finge*

*estar enterado del lance para sonsacar á Pepito, aunque claro es que sólo venía por el viaje de Ernesto. Todos los pormenores y accidentes del diálogo quedan encomendados al talento del actor.*) 5

SEV. (*Aparte á don Julián.*)
¿Qué duelo es ése?

JULIAN (*Aparte á don Severo.*) (No sé:
pero lo sabremos pronto.)

PEP. (*Aparte.*) 10
(Vamos, pues no he sido un tonto.)

JULIAN Nosotros sabemos que . . .
con un Vizconde . . .

PEP. Sí tal.

JULIAN ¡ Tiene Ernesto concertado 15
un duelo !... Nos lo ha contado
cierta persona formal,
que lo supo en el instante.
¡ Dicen que es grave la cosa !...
(*Señas afirmativas de Pepito.*) 20
¡ Una riña escandalosa ! . . .
¡ Y mucha gente delante !... (*Lo mismo.*)
¡ Que tú mientes ! . . . ¡ Que yo miento !
¡ y palabras en montón !

PEP. (*Interrumpiendo con el placer y el afán* 25
*del que sabe más.*)
¡ Palabras ! . . . ¡ un bofetón
más grande que un monumento !

SEV. ¿Quién á quién?

PEP. Ernesto al otro.

JULIAN ¡Ernesto!... ¿no te enteraste? (*A don Severo.*)

Ese Vizconde dió al traste 5
con su paciencia. En un potro
le tuvo... Vamos... de modo...
que el pobre chico rompió

PEP. Cabal.

JULIAN Si te dije yo 10
que nos lo han contado todo.
(*Con suficiencia.*)
¿Y el lance es serio?
(*Con ansiedad mal contenida.*)

PEP. Muy serio. 15
Pena el decirlo me da,
pero con ustedes ya
es inútil el misterio.

JULIAN ¿Con qué objeto, ni á qué fin?..
(*Se acercan con ansiedad á Pepito, y éste* 20
*hace una pausa y se da todo el tono del*
*que comunica una mala noticia.*)

PEP. ¡Pues á muerte! (*Les mira con aire de*
*triunfo.*)
(*Movimiento de don Julián y de don* 25
*Severo.*)
Y el Vizconde,
ni se espanta, ni se esconde:

¡y es un gran espadachín!  
JULIAN. Y la disputa... ¿por qué?...  
á Nebreda se le imputa...  
PEP. Si casi no hubo disputa...  
yo les diré como fué. 5  
(*Pausa: se acercan á Pepito con ansiedad profunda*).  
Como Ernesto proyectaba  
dejar mañana Madrid,  
por si pasaje en el *Cid* 10  
á tiempo en Cádiz lograba;  
y como Luis Alcaraz  
prometida le tenía  
una carta, que decía  
que era de efecto eficaz 15  
como recomendación,  
á recogerla se fué  
el pobre chico al café  
con la mejor intención.  
No estaba el otro; le espera: 20  
ninguno allí le conoce,  
y prosiguen en el goce  
sublime de la tijera,  
sin reparar en su faz  
ni en sus dientes apretados, 25  
unos cuantos abonados  
á la mesa de Alcaraz.  
Venga gente, y caiga gente:

mano larga y lengua lista:
¡ allí se pasó revista
á todo bicho viviente!
Y en medio de aquel cotarro,
con más humo que echa un tren, 5
entre la copa de ojén,
la ceniza del cigarro
y alguno que otro terrón
de azúcar, allí esparcido,
quedó el mármol convertido 10
en mesa de disección.
Cada mujer deshonrada,
una copa de lo añejo;
cada tira de pellejo
una alegre carcajada. 15
En cuatro tijeretazos
dejaron aquellos chicos
las honras hechas añicos,
las damas hechas pedazos.
Y, sin embargo, ¿ qué fué, 20
ni qué era aquello, en verdad?
Ecos de la sociedad
en la mesa de un café.
Esto no lo digo yo,
ni lo pienso, por supuesto, 25
esto me lo dijo Ernesto
cuando el lance me contó.

JULIAN ¡ Acaba! ¿ No acabarás?

PEP. Por fin, entre nombre y nombre,
el nombre sonó . . . de un hombre,
y Ernesto no pudo más.
«¿Quién se atreve á escarnecer
á un hombre de honor?» exclama; 5
y le responden: «¡La dama!»
Y nombran una mujer.
Brotando fuego el semblante
se arroja sobre Nebreda;
el pobre Vizconde rueda, 10
y es un campo de Agramante
aquel centro principal.
Resumen de la jornada:
hoy es el duelo, y á espada,
en un salón. No sé cuál. 15

JULIAN (*Cogiéndolo por un brazo con furor.*)
¿Y el hombre era yo?

PEP. ¡Señor!

JULIAN ¿Y Teodora la mujer?
¡Dónde fueron á caer 20
ella, mi nombre y mi amor!
(*Se desploma sobre el sillón, ocultando el rostro entre las manos.*)

SEV. (*Aparte á Pepito.*)
(¡Qué has hecho desventurado!) 25

PEP. ¿No dijo que lo sabía?
Pues yo... por eso... creía...

JULIAN ¡Deshonrado! ¡Deshonrado!

SEV. ¡ Julián ! (*Acercándose con cariño.*)
JULIAN Es verdad: ya sé
que es preciso tener calma...
Pero, ¡ ay !, que me falta el alma
cuando me falta la fe. 5
(*Cogiéndose á su hermano con ansia.*)
Pero, ¿por qué de este modo
nos infaman, cielo santo?
¿Donde hay razón para tanto
revolver y echarnos lodo?... 10
No importa; yo sé cumplir
como cumple un caballero.
¿Cuento contigo Severo?
SEV. ¿Si cuentas?... ¡ Hasta morir !
(*Se aprietan la mano con energía*) 15
JULIAN ¿El duelo? (*A Pepito.*)
PEP. A las tres.
JULIAN (*Aparte.*) (¡ Le mato !
¡ Sí... le mato !) Vamos. (*A don Severo.*)
SEV. ¿Dónde? 20
JULIAN A buscar á ese Vizconde.
SEV. ¿Tratas por ventura?...
JULIAN Trato...
trato de hacer lo que puedo:
de vengar mi honra ofendida 25
y de salvarle la vida
al hijo de Juan Acedo.
(*A Pepito.*)

¿Quiénes los padrinos son?

PEP. Los dos: Alcaraz y Rueda.

JULIAN Los conozco. Aquí se queda
ése, por si hay ocasión...
(*Señalando á Pepito*) 5
y vuelve Ernesto...

SEV. Entendido.

JULIAN Tú, sin inspirar recelo, (*A Pepito*)
averiguas dónde el duelo
debe ser. 10

SEV. Ya lo has oído.

JULIAN Ven. (*A su hermano.*)

SEV. Julián, ¿qué tienes?

JULIAN ¡Gozo
como ha mucho no sentí! 15
(*Cogiéndole el brazo nerviosamente.*)

SEV. ¡Qué diablo, no estás en ti!
¿Gozo?

JULIAN De ver á ese mozo.

SEV. ¿A Nebreda? 20

JULIAN Sí: repara
que hasta hoy la calumnia fué
impalpable, y no logré
ver cómo tiene la cara.
¡Y al fin sé dónde se esconde: 25
al fin tomó cuerpo humano:
y se me viene á la mano
bajo forma de un Vizconde!

Devorando sangre y hiel
tres meses, ¡ por Belcebú !
Y ahora . . . figúrate tú . . .
¡ frente á frente yo con él !
(*Salen por el fondo don Julián y don* 5
*Severo.*)

## ESCENA IV

PEPITO

¡ Pues, señor, vaya un enredo !
y un enredo sin motivo.
Aunque también fué locura,
por más que diga mi tío, 10
poner bajo el mismo techo,
casi en contacto continuo,
á una niña como un sol
y á Ernesto, que es guapo chico,
con un alma toda fuego 15
y dado al romanticismo.
El perjura que no hay nada,
que es un afecto purísimo,
que como hermana la quiere,
y que es su padre mi tío ; 20
pero yo que soy muy zorro,
y que, aunque joven, he visto
muchas cosas en el mundo,

de hermanazgos no me fío,
cuando los hermanos son
tan jóvenes y postizos.
Mas supongamos que sea
como dicen su cariño; 5
la gente, ¿qué entiende de eso?
¿Qué obligación han suscrito
para pensar bien de nadie?
¿No los ven siempre juntitos
en el teatro, en el paseo, 10
y á veces en el Retiro?
Pues el que los vió, los vió,
y como los vió, lo dijo.
«*Que no*,» me juraba Ernesto;
que «*casi nunca*» han salido 15
de ese modo. ¿Fué una vez?
Pues basta. Si les han visto
cien personas ese día,
es para el caso lo mismo
que haberse mostrado en público, 20
no en un día, en cien distintos.
Señor, ¿ha de hacer la gente
información de testigos
y confrontación de fechas
para averiguar si han sido 25
muchas veces ó una sola
cuando pasearon juntitos
su simpatía purísima

y su fraternal cariño?
Esto ni es serio ni es justo,
y además fuera ridículo.
Lo que vieron dicen todos,
y no mienten al decirlo. 5
Les ví una vez. — Otra yo.
Una y una, dos: de fijo.
Y yo también. — Ya son tres.
Y ése, cuatro; y aquél, cinco.
Y de buena fe sumando 10
se llega hasta lo infinito.
Y vieron, porque miraron,
y en fin, porque los sentidos
son para usados á tiempo,
sin pensar en el vecino. 15
Que él se ocupe de lo suyo,
y recuerde que, en el siglo,
el que quita la ocasión,
quita calumnia y peligro.
(*Pequeña pausa,*) 20
Y cuidado, que concedo
la pureza del cariño,
y este es asunto muy grave;
porque á mis solas cavilo,
que estar cerca de Teodora 25
y no amarla es ser un risco.
El será sabio, y filósofo,
y matemático, y físico,

pero tiene cuerpo humano
y la otra cuerpo divino,
y basta *corpo di bacco*,
para cuerpo de delito.
¡ Si estas paredes hablasen! 5
¡ si los pensamientos íntimos
de Ernesto forma tangible
tomasen, aquí esparcidos!...
Vamos á ver, por ejemplo,
aquel marco está vacío, 10
y en el otro don Julián
luce su semblante típico.
Antes estaba Teodora
*pendant* haciendo á mi tío:
¿por qué su fotografía 15
habrá desaparecido?
¿Para evitar tentaciones?
(*Sentándose junto á la mesa.*)
¡ Si ésta es la causa, malísimo!
Y peor si dejó el cuadro 20
para mejorar de sitio,
y cerca del corazón
buscar misterioso abrigo.
Vamos á ver, ¡ acusad
de la sospecha, diablillos 25
que flotáis por el espacio
tejiendo invisibles hilos!
¡ acusad sin compasión

á ese filósofo místico!
(*Mirando á la mesa y observando al «Infierno del Dante.»*)
Y ésta es otra: ni una vez
á ver á Ernesto he venido 5
que en su mesa no encontrase
abierto este hermoso libro.
«Dante: *Divina Comedia,*» (*Leyendo.*)
su poema favorito.
Y no pasa del pasaje 10
(*Mirando otra vez.*)
de Francesca, por lo visto.
Tiene dos explicaciones
el caso: ya lo concibo.
O que Ernesto no lee nunca, 15
ó que siempre lee lo mismo.
Pero aquí noto una mancha:
como si hubiese caído
una lágrima. ¡Señor,
qué misterios y qué abismos! 20
¡y qué difícil es ser
casado y vivir tranquilo!
¿Un papel hecho ceniza?
(*Recogiéndolo de la mesa ó del suelo.*)
No, que aun queda algún vestigio. 25
(*Se levanta y se acerca al balcón, procurando leer en el pedazo de papel. En este momento entra Ernesto y se detiene observándole.*)

## ESCENA V

PEPITO *y* ERNESTO

ERN. ¿Qué estás mirando?

PEP. ¡Hola, Ernesto.
Pues... un papel que flotaba...
el aire se lo llevaba...

ERN. (*Tomándolo y devolviéndoselo después de* 5
*un instante de observación*)
No recuerdo lo que es esto.

PEP. Eran versos. Tú sabrás.
(*Leyendo, pero con dificultad.*)
«El fuego que me devora.» 10
(*Aparte.*)
(Pues consonante á Teodora.)

ERN. Cualquier cosa.

PEP. (*Desistiendo de leer.*) Y nada más.

ERN. Nuestra vida simboliza 15
ese papel sin valor:
unos gritos de dolor
y unos copos de ceniza.

PEP. ¿Pero fueron versos?

ERN. Sí. 20
A veces no sé qué hacer:
dejo la pluma correr...
y anoche los escribí.

PEP. Y para ayudar al estro
y ponerte en situación,
¿buscabas inspiración
en el libro del maestro?

ERN. Me parece... 5

PEP. No hay que hablar:
es una obra gigantesca.
Episodio de Francesca. (*Señalando el libro.*)

ERN. (*Con ironía é impaciencia.*) 10
Hoy estás para acertar.

PEP. No en todo, ¡por Belcebú!
ahí mismo, donde está abierto,
algo dice que no acierto,
y que has de explicarme tú. 15
Leyendo un libro de amor
por pasatiempo tan sólo,
diz que Francesca y Paolo
llegaron donde el autor
gallardamente celebra, 20
demostrando no ser zote,
amores de Lanzarote
y de la reina Ginebra.
Tal fuego para tal roca:
trajo un beso el libro aquel, 25
y un beso le dió el doncel,
loco de amor, en la boca.
Y en tal punto y ocasión,

el poeta florentino,
con acento peregrino,
y sublime concisión,
dice lo que aquí hallarás
(*Señalando el libro.*) 5
y lo que yo no alcancé,
*que Galeoto el libro fué*
*y que no leyeron más.*
¿No leyeron? Entendido,
y no está mi duda ahí. 10
Pero ese Galeoto, dí,
¿por qué sale y quién ha sido?
Y tú lo debes saber:
es el título del drama
(*Señalando unos papeles que se supone* 15
*que son el drama.*)
que escribiste y tanta fama
te ha de dar. Vamos á ver.
(*Coge el drama y lo examina.*)

ERN. De la reina y Lanzarote 20
fué Galeoto el medianero,
y en amores, *el tercero*
puede llamarse por mote,
y con verdad, *el Galeoto;*
sobre todo si se quiere 25
evitar nombre que hiere,
y con él un alboroto.

PEP. Bueno: justo; lo concibo;

¿pero no hay en castellano
nombre propio y á la mano?

ERN. Muy propio y muy expresivo.
Este oficio que en doblones
convierte las liviandades 5
y concierta voluntades,
y se nutre de aficiones,
nombre tiene y yo lo sé,
pero es ponerme en un brete
hacer que diga... y concrete 10
(*Señalando el drama.*)
lo que al cabo no diré.
(*Le arranca el drama y le arroja sobre la mesa.*)
En cada caso especial, 15
uno especial también noto,
pero á veces es Galeoto
toda la masa social.
Obra entonces sin conciencia
de que ejerce tal oficio 20
por influjos de otro vicio
de muy distinta apariencia;
pero tal maña se da
en vencer honra y pudor,
que otro Galeoto mayor 25
ni se ha visto ni verá.
Un hombre y una mujer
viven felices y en calma,

cumpliendo con todo el alma
uno y otro su deber.
Nadie repara en los dos,
y va todo á maravilla;
pero esto en la heroica villa 5
dura poco, ¡ vive Dios !
Porque ocurre una mañana
que les miran al semblante,
y ya, desde aquel instante,
ó por terca, ó por villana, 10
se empeña la sociedad,
sin motivo y sin objeto,
en que ocultan un secreto
de impureza y liviandad.
Y ya está dicho y juzgado: 15
no hay razón que les convenza,
ni hombre existe que les venza,
ni honra tiene el más honrado.
Y es lo horrible de esta acción
que razón al empezar 20
no tienen, y al acabar
acaso tienen razón.
¡ Porque atmósfera tan densa
á los míseros circunda,
tal torrente los inunda, 25
y es la presión tan intensa,
que se acercan sin sentir
y se ligan sin querer,

se confunden al caer,
y se adoran al morir!
El mundo ha sido el ariete
que virtudes arruinó:
él la infamia preparó: 5
fué Galeoto y...
(*Aparte.*) (¡Vete, vete,
pensamiento de Satán,
que tu fuego me devora!)

PEP. (*Aparte.*) 10
(Si discurre así Teodora,
¡Dios proteja á don Julián!)
(*En voz alta.*)
¿Y acaso sobre ese tema
fueron los versos de anoche? 15

ERN. Ciertamente.

PEP. ¡Que derroche
su tiempo con esa flema,
y que esté... así... tan sereno...
sin ocuparse de nada 20
quien ha de cruzar su espada
muy pronto sobre el terreno
con Nebreda, que, en rigor,
con un florete en la mano
es mucho hombre! ¿No es más sano 25
y no te fuera mejor
preparar un golpe recto
ó una parada en tercera

que exprimirte la mollera
sobre tal verso incorrecto,
ó sobre tal consonante
declarado en rebeldía?
¿Con toda tu sangre fría, 5
no piensas que estar delante
del Vizconde es serio?

ERN. No.
Y en buena razón me fundo.
Si le mato, gana el mundo: 10
si me mata, gano yo.

PEP. ¡Bueno! mejor es así.

ERN. No hablemos más del asunto.

PEP. (*Aparte.*)
(Ahora con maña pregunto...) 15
¿Y es hoy mismo?
(*Acercándose á él y en voz más baja.*)

ERN. Hoy mismo: sí.

PEP. ¿Vais á las afueras?

ERN. No. 20
No era posible á tal hora.
Un lance que nadie ignora...

PEP. ¿En alguna casa?

ERN. Yo
lo propuse. 25

PEP. ¿Dónde?

ERN. Arriba.
(*Todo esto con frialdad é indiferencia.*)

Un cuarto desalquilado:
gran salón: luz de costado...
Sin que nadie lo perciba,
mejor sitio que da un cerro,
para el caso que se trata, 5
nos da un puñado de plata.

PEP. ¿Y ya sólo falta?

ERN. ¡Hierro!

PEP. Hablan fuera... gente viene...
(*Acercándose al fondo.*) 10
¿Los padrinos? (*A Ernesto.*)

ERN. Podrá ser.

PEP. Parece voz de mujer... (*Asomándose á la puerta.*)

ERN. ¿Pero por qué les detiene? 15
(*Acercándose también.*)

## ESCENA VI

ERNESTO, PEPITO *y un* CRIADO

CRIA. (*Con cierto misterio.*)
Preguntan por el señor.

PEP. ¿Quién pregunta?

CRIA. Una señora. 20

ERN. Es extraño.

PEP. ¿Pide? (*En voz baja al Criado.*)

CRIA. (*Lo mismo á Pepito.*) Llora.
PEP. ¿Es joven? (*En voz alta.*)
CRIA. Pues en rigor
yo no lo puedo decir:
la antesala es muy oscura, 5
y la señora procura
de tal manera cubrir
la cara, que el percibirla
ya es empresa y ya es trabajo,
y habla tan bajo, tan bajo, 10
que no hay manera de oírla.
ERN. ¿Quién será?
PEP. Quien quiere verte.
ERN. No adivino...
PEP. (*Aparte*) (Está perplejo.) 15
Oye, á tus anchas te dejo:
un abrazo y buena suerte.
(*Dándole un abrazo y tomando el sombrero.*)
¿Qué esperas, bobalicón? (*Al Criado.*) 20
CRIA. Que mande el señor que pase.
PEP. En asuntos de esta clase
se adivina la intención.
Y después, hasta el momento
en que salga la tapada, 25
no abras la puerta por nada,
aunque se hunda el firmamento.
CRIA. ¿Conque la digo que sí?

ERN. Bueno. Adiós.
(*A Pepito que está ya en la puerta.*)
PEP. Adiós, Ernesto.
(*Salen él y el Criado por el fondo*)
ERN. ¿Una dama?... ¿Qué pretexto?... 5
¿O qué razón?
(*Pausa: en este momento se presenta en la puerta del fondo, y en ella se detiene, cubriéndose con un velo, Teodora.*)
Ya está aquí. 10

## ESCENA VII

TEODORA *y* ERNESTO. *Ella en el fondo, sin atreverse á avanzar: él en primer término volviéndose hacia ella.*

ERN. Usted hablarme deseó:
si usted se digna, señora...
(*Invitándola á que pase.*)
TEOD. Perdón, Ernesto. (*Levantando el velo.*)
ERN. ¡Teodora! 15
TEOD. Hago mal, ¿no es cierto?
ERN. (*Cortado y balbuciente.*) Yo...
no lo sé...porque yo ignoro...
honra tal á que debí...
¿Pero qué digo? ¡ay de mí! 20
¡si en mi casa su decoro

ha de hallar respeto tal...
que ya más no puede ser! (*Con exaltación.*)
¿por qué, señora, temer
que en ello pueda haber mal? 5

TEOD. Por nada...y un tiempo ha sido,
¡que para siempre ha pasado!
en que ni hubiera dudado,
ni hubiera, Ernesto, temido;
en que cruzara un salón 10
cualquiera de usted cogida,
sin la frente enrojecida,
sin miedo en el corazón;
en que al partirse de aquí...
como dicen que mañana, 15
á la tierra americana
parte usted..yo misma.,.sí...
como aquellos que se van....
acaso no han de volver....
como es tan triste perder... 20
un amigo .. ante Julián...
ante el mundo . . .conmovido...
pero sin otro cuidado...
yo misma . . .le hubiera dado...
¡los brazos por despedida! 25

ERN (*Hace un movimiento, luego se detiene.*)
¡Ah, Teodora!...

TEOD. Pero ahora...

presumo que no es lo mismo.
Hay entre ambos un abismo.

ERN. Tiene usted razón, señora.
Ya no podemos querernos
ni siquiera como hermanos: 5
ya se manchan nuestras manos
si se aproximan al vernos.
Lo que ha sido ya se fué:
es necesario vencerse.
es preciso aborrecerse. 10

TEOD. (*Con ingenuidad y angustia.*)
¡Aborrecernos! ¿por qué?

ERN. ¡Yo aborrecerla! ¿tal dije?
¿á usted pobre niña?

TEOD. Sí. 15

ERN. No haga usted caso de mí,
y si la ocasión lo exige,
y mi vida ha menester,
mi vida, Teodora, pida,
que dar por usted la vida 20
será (*Con pasión.*)
(*Transición: conteniéndose y cambiando de tono.*)
cumplir un deber
(*Pequeña pausa.*) 25
¡Aborrecer! Si mis labios
dijeron palabra tal,
fué que pensaba en el mal,

que pensaba en los agravios
que sin querer hice yo
á quien tanto bien me hacía.
Usted, Teodora, debía
aborrecerme, yo... no... 5

TEOD. (*Con tristeza*)
Mucho me han hecho llorar:
razón tiene usted en esto;
(*Con mucha dulzura.*)
pero á usted... á usted, Ernesto, 10
yo no le puedo acusar.
Ni pensando sin pasión
hay nadie que le condene:
porque usted ¿qué culpa tiene
de tanta murmuración? 15
¿ni del ponzoñoso afán
que muestra ese mundo impío,
ni del carácter sombrío
de nuestro pobre Julián?
de su enojo, que es dolor: 20
de su acento, que me hiere:
¡de la pena conque muere,
porque duda de mi amor!

ERN ¡Eso es lo que no concibo,
y en él aún menos que en otro: 25
lo que me pone en un potro:
lo que juro por Dios vivo
que no es digno de merced

ni hay pretexto que lo escude:
que exista un hombre que dude
de una mujer como usted!
(*Con profunda ira.*)

TEOD. ¡Bien paga su duda fiera 5
mi Julián!

ERN. (*Espantado de haber acusado á don Julián delante de Teodora.*)
¿Qué digo yo?
¿Yo acusarle? . . . ¡No! . . . Dudó 10
(*Apresurándose para disculpar á don Julián y para borrar el efecto de lo que dijo.*)
como dudara cualquiera:
como duda quien adora: 15
si no hay cariño sin celos;
¡hasta del Dios de los cielos
hay quienes dudan, Teodora!
Es terrenal egoísmo:
es que el dueño de un tesoro 20
guarda su oro porque es oro
y teme por él. Yo mismo,
si por arte sobrehumano
consiguiera hacerla mía,
¡dudaría!...¡dudaría!... 25
¡hasta de mi propio hermano!
(*Con creciente exaltación: de repente se detiene al observar que otra vez, y por*

*distinto lado, va á caer en el mismo abismo de que antes huyó. Teodora en este mismo instante oye voces hacia la puerta del fondo y se dirige á ella.*)

(*Aparte.*) 5

(¿A dónde vas, corazón?
¿qué hay en tu seno profundo?
¡dices que calumnia el mundo,
y tú le das la razón!)

TEOD. Escuche usted...gente viene... 10

ERN. Las dos apenas...
(*Acercándose al fondo.*) ¿Serán?...

TEOD. (*Con cierto terror.*)
¡Esa es la voz de Julián!...
¡Entrará! 15

ERN. No...se detiene..,.

TEOD. (*Lo mismo, como preguntando á Ernesto.*)
Si es Julián...
(*Hace un movimiento para dirigirse á la puerta de la derecha. Ernesto la* 20 *detiene respetuosa pero enérgicamente.*)

ERN. Si es él, aquí;
nuestra lealtad nos escuda.
Si es...esa gente que duda,
entonces, Teodora, allí. 25
(*Señalando la puerta de la derecha.*)
Nada...Nada...(*Escuchando*)

TEOD. ¡El corazón

me salta!

ERN. No hay que dudar,
marchóse quien quiso entrar,
ó todo fué una ilusión.
(*Viniendo al primer término.*) 5
Por Dios, Teodora...

TEOD (*Lo mismo.*) Tenía
que hablar con usted, Ernesto,
y el tiempo pasa tan presto...

ERN. ¡Vuela el tiempo! 10

TEOD. Y bien, decía...

ERN. Teodora... perdón le pido;
pero... acaso no es prudente...
si llegase gente... y gente
debe llegar... 15

TEOD. He venido
precisamente por eso...
para evitarle.

ERN. ¿De modo?

TEOD. De modo que lo sé todo 20
y que me horroriza el peso
de esa sangre que por mí
quieren ustedes verter:
la siento en mi sangre arder,
¡la siento agolparse aquí! 25
(*Oprimiendose el pecho.*)

ERN. ¡Porque afrentada se esconde,
afrentada y encendida,

hasta que arranque la vida
yo por mi mano al Vizconde!
¿Lodo quiso? ¡Tendrá lodo
de sangre!

TEOD. (*Con espanto.*) ¿Su muerte? 5

ERN. Sí.
(*Reprimiendo un movimiento de súplica de Teodora.*)
Usted dispone de mí,
conmigo lo puede todo: 10
todo, con una excepción:
¡Ha de lograr que yo sienta,
recordando aquella afrenta,
por Nebreda compasión!

TEOD. (*Con acento lloroso y suplicante.*) 15
¿Y por mí?

ERN. ¿Por usted?

TEOD. Sí;
¡será el escándalo horrible!

ERN. Es posible. 20

TEOD. ¿Que es posible?
¡Y lo dice usted así,
sin procurar evitarlo,
cuando yo misma intercedo!

ERN. Evitarlo yo no puedo, 25
pero puedo castigarlo.
Esto pienso, y esto digo,
y esto corre de mi cuenta;

otros buscaron la afrenta,
pues yo buscaré el castigo.

TEOD. (*Acercándose á él y en voz baja: como temiendo oírse á sí misma.*)
¿Y Julián? 5

ERN. ¿Julián? ¿Y bien?

TEOD ¡Si lo sabe!.

ERN. Lo sabrá.

TEOD. ¿Y qué dirá?

ERN. ¿Qué dirá? 10

TEOD. ¿Que en mi defensa... que quién...
pudo mostrar su valor...
sino mi esposo que me ama?

ERN. ¿En defensa de una dama?
Cualquiera que tenga honor. 15
Sin conocerla: sin ser
pariente, amigo, ni amante:
con escuchar es bastante
que insultan á una mujer
¿Qué por qué á ese duelo voy? 20
¿Qué por qué la defendí?
¡Porque la calumnia oí,
y porque yo soy quien soy!
¿Quién hay que defensas tase
ni tal derecho repese? 25
¿No estaba yo? ¡Pues quien fuese,
el primero que llegase!

TEOD. (*Que le ha oído atentamente y como do-*

*minada por el acento enérgico de Ernesto, se acerca á él y le estrecha la mano con efusión.*)

¡Eso es noble y es honrado,
y es digno de usted, Ernesto!... 5
(*Se detiene, se aleja de Ernesto y dice tristemente lo que sigue.*)
Pero mi Julián con esto,
Ernesto, queda humillado,
(*Con profunda convicción.*) 10

ERN. ¿El humillado?

TEOD. Sí á fe.

ERN. ¿Por qué razón?

TEOD. Sin razón.

ERN. ¿Quién lo dirá? 15

TEOD. La opinión
de todos.

ERN. Pero, ¿por qué?

TEOD. Cuando llegue hasta la gente
que un insulto he recibido 20
y que mi esposo no ha sido
quien ha dado al insolente
su castigo... y además,
(*Bajando la voz y la cabeza y huyendo la mirada de Ernesto.*) 25
que usted su puesto ha tomado,
sobre el escándalo dado
habrá otro escándalo más.

ERN. (*Convencido, pero protestando.*)
Si en lo que hayan de decir
hay que pensar para todo,
¡ vive Dios ! que ya no hay modo
ni manera de vivir. 5

TEOD. Pero es como digo yo.

ERN. Es así; pero es horrible.

TEOD. ¡ Pues ceda usted !

ERN. ¡ Imposible !

TEOD. ¡ Yo se lo suplico ! 10

ERN. No.
Y bien mirado, Teodora,
más vale que ante Nebreda,
suceda lo que suceda,
que lo que ha de ser se ignora, 15
acuda yo; porque, al fin,
á ese Vizconde malvado,
lo que le falta de honrado
le sobra de espadachín.

TEOD. (*Algo herida de la especie de protección* 20
*un tanto humillante que Ernesto dispensa*
*á don Julián.*)
Corazón tiene también
mi esposo.

ERN. ¡ Suerte fatal !... 25
O yo me explico muy mal,
ó usted no me entiende bien.
Yo conozco su valor;

pero entre hombres de coraje,
cuando hay un sangriento ultraje
á la fama ó al honor,
no se puede adivinar
lo que puede suceder: 5
ni quién llegará á caer,
ni quién logrará matar.
Y si ese hombre, en conclusión,
vence en el lance funesto,
entre don Julián y Ernesto 10
no es dudosa la elección.
(*Con sinceridad, pero con tristeza.*)

TEOD. (*Con verdadera angustia.*)
¿Usted?... ¡Eso no!... ¡Tampoco!

ERN. ¿Por qué? Si es ésa mi suerte... 15
Nadie pierde con mi muerte,
y yo mismo pierdo poco.

TEOD. (*Casi sin poder contener el llanto.*)
¡No diga usté eso, por Dios!...

ERN. ¿Pues qué dejo yo en el mundo? 20
¿Qué amistad, qué amor profundo?
¿Qué mujer seguirá en pos
de mi cadáver llorando
con llanto de enamorada?...

TEOD. (*Sin poder contener las lágrimas.*) 25
Toda la noche pasada...
por usté estuve rezando...
y dice usted que ninguno...

¡Yo no quiero que usted muera!
(*Con explosión.*)

ERN. ¡Ah!... ¡Se reza por cualquiera!
¡Sólo se llora por uno! (*Con pasión.*)

TEOD. ¡Ernesto!... (*Con extrañeza.*) 5

ERN. (*Asustado de sus propias frases.*)
¿Qué?

TEOD. (*Separándose de él.*) Nada...

ERN. (*Con timidez bajando la cabeza y huyendo también de Teodora*) Sí... 10
si ya lo dije, hace rato,
que yo soy un insensato...
no haga usted caso de mí.
(*Pausa: quedan silenciosos, pensativos: lejos uno del otro y sin osar mirarse.*) 15

TEOD. ¡Otra vez! (*Señalando hacia el fondo.*)

ERN. (*Siguiendo el movimiento de Teodora.*)
¡Gente ha venido!...

TEOD. (*Acercándose al fondo y prestando oído.*)
Y quieren entrar... 20

ERN. (*Lo mismo*). No hay duda.
¡Allí, Teodora!... (*Señalándole el cuarto.*)

TEOD. ¡Me escuda
mi honor! 25

ERN. Si no es su marido.

TEOD. ¡No es Julián!

ERN. No.

(*Llevándola á la derecha.*)

TEOD. Yo esperaba...

(*Deteniéndose junto á la puerta y suplicante.*)

Renuncie usted á ese duelo. 5

ERN. Si he llegado ¡vive el cielo!
á su rostro...

TEOD. ¡Lo ignoraba!...

(*Con desesperación; pero comprendiendo que todo arreglo es imposible.*) 10

¡Pues huya usted!

ERN. ¡Que huya yo!

TEOD. ¡Por mí! ¡por él! ¡por Dios vivo!

ERN. Odiarme... sí... ¡lo concibo!
¡pero despreciarme!... ¡no! 15

(*Con desesperación.*)

TEOD. Una palabra no más.
¿Vienen por usted?

ERN. No es hora.

TEOD. ¿Lo jura usted? 20

ERN. Sí, Teodora.
¿Me aborrece usted?

TEOD. ¡Jamás!

PEP. (*Desde fuera.*)
Nada... ¡verle necesito!... 25

ERN. ¡Pronto!

TEOD. Sí. (*Entra por la derecha.*)

PEP. ¿Quién se me opone?

ERN. ¡ Ah ! la calumnia se impone
y hace verdad el delito.

## ESCENA VIII

ERNESTO *y* PEPITO. *Este por el fondo, sin sombrero y profundamente agitado*

PEP. ¡ Vete al infierno !... ¡ entraré !
¡ Ernesto !... ¡ Ernesto !...
ERN. ¿ Qué pasa ? 5
PEP. Yo no sé como decirlo...
y es necesario...
ERN. Pues habla.
PEP. ¡ La cabeza me da vueltas !
¡ Jesús ! ¡ Jesús ! ¡ quién pensara ! 10
ERN. Pronto y claro, ¿ qué sucede ?
PEP. ¿ Qué sucede ? ¡ una desgracia !
Supo don Julián el duelo;
(*Muy rápido.*)
vino á buscarte, no estabas; 15
se fué á ver á tus padrinos
y todos juntos á casa
del Vizconde.
ERN. ¿ De Nebreda ?
¿ Pero cómo ? 20
PEP. ¡ Vaya en gracia !
Como quiso don Julián,

que era tromba que arrastraba
voluntades, conveniencias,
todo, todo...

ERN. ¡Sigue, acaba!

PEP. (*Separándose de Ernesto y acercándose* 5
*al fondo.*)
Ya suben...

ERN. ¿Quiénes?

PEP. Pues ellos...
Le traen en brazos... (*Asomándose.*) 10

ERN. ¡Me espanta
lo que dices!... ¡Sigue!... pronto!
(*Cogiéndole con violencia y trayéndole*
*al primer término.*)

PEP. Le obligó á batirse: nada, 15
no hubo medio: y el Vizconde
dijo, «pues los dos», y á casa:
á la tuya... don Julián
sube: tu fámulo atranca
la puerta y jura que tú 20
con una señora estabas
y que no entra nadie, nadie.

ERN. ¿Y entonces?

PEP. Don Julián baja
diciendo: «Mejor, á mí 25
por entero la jornada»
Y él, Nebreda, los padrinos,
mi padre y yo que llegaba,

arriba todos... ya sabes...

ERN. ¿Y se han batido?

PEP. ¡Con rabia!

¡con furor! como dos hombres

que van buscando con ansia 5

un corazón que aborrecen

tras la punta de una espada.

ERN. ¿Y don Julián?... ¡No!... ¡mentira!

PEP. Ya están aquí.

ERN. ¡Calla! ¡calla! 10

¡di quién es!... ¡y dílo bajo!

PEP. Por acá.

(*Se presentan en el fondo don Julián, don Severo y Rueda. Traen á don Julián mal herido entre los otros dos. El orden* 15 *de izquierda á derecha es: don Severo, don Julián, Rueda.*)

ERN. ¡Jesús me valga!

## ESCENA IX

ERNESTO, DON JULIAN, DON SEVERO, PEPIPO *y* RUEDA

ERN. ¡Don Julián!... ¡mi bienhechor!

¡mi amigo!... ¡mi padre! 20

(*Precipitándose á su encuentro llorando.*)

JULIAN (*Con voz débil*) Ernesto...

ERN. ¡ Maldito yo !

SEV. Vamos presto.

ERN. ¡ Padre !

SEV. Le vence el dolor.

ERN. ¡ Por mí ! . . . 5

JULIAN No es cierto . . .

ERN. ¡ Por mí !...
¡ perdón !
(*Cogiéndole la mano á don Julián por el lado de la derecha, y arrodillándose é* 10 *inclinándose.*)

JULIAN No lo has menester.
Cumpliste con tu deber :
yo con mi deber cumplí.

SEV. ¡ Un lecho ! (*Suelta á don Julián: le* 15 *sustituye Pepito.*)

PEP. (*Señalando la puerta de la derecha.*)
¡ Vamos á entrar !

ERN. ¡ Nebreda ! (*Con acento terrible.*)

SEV. No más locura, 20
¿ó es que quieres por ventura
acabarlo de matar?

ERN. ¡ Locura !...¡ Veremos ! ¡ Oh ! (*Frenético*)
¡ Vengan dos... es mi derecho !
(*Precipitándose hacia el fondo.*) 25

SEV. (*Dirigiéndose á la derecha.*)
A tu alcoba, y en tu lecho...
(*Ernesto, que ya estaba en el fondo, se

*detiene espantado.*)

ERN. ¿A dónde?

SEV. Adentro.

PEP. ¡Sí!

ERN. ¡No! 5

(*Se precipita y cubre la puerta con su cuerpo. El grupo que conduce á don Julián casi desfallecido, se detiene mostrando asombro.*)

SEV. ¿Tú le niegas?... 10

PEP. ¡Estás loco!

SEV. ¡Aparta!... ¿No ves?... ¡se muere!

JULIAN ¡Pero qué dice!... ¡no quiere!...

(*Incorporándose y mirando con mezcla de asombro y espanto á Ernesto.*) 15

RUEDA ¡No comprendo!

PEP. ¡Yo tampoco!

ERN. ¡Está muriendo!... ¡y me implora!

¡y duda!... ¡¡padre!!...

SEV. ¡Ha de ser! 20

(*Por encima del hombro de Ernesto empuja la puerta; Teodora se presenta.*)

ERN. ¡Jesús!

SEV. *y* PEP. ¡Ella! 25

RUEDA ¡Una mujer!

TEOD. (*Precipitándose sobre él y abrazándole.*)

¡Mi Julián!

JULIAN (*Separándose para mirarla y por un violento esfuerzo poniéndose en pie y desprendiéndose de todos*)

¿Quién es? ¡¡Teodora!!

(*Cae sin sentido en tierra.*) 5

FIN DEL ACTO SEGUNDO

# ACTO TERCERO

*La misma decoración del primer acto; en vez del sofá, una butaca.—Es de noche: un quinqué encendido sobre la mesa.*

## ESCENA PRIMERA

PEPITO *escuchando en la puerta de la derecha, segundo término; después viene al centro.*

Al fin la crisis pasó,
ó al menos no se oye nada.
¡Pobre don Julián! Muy grave,
muy grave. De la balanza
está en el fiel su existencia: 5
á un lado la muerte aguarda,
y al otro lado otra muerte,
¡la del honor, la del alma!
Dos abismos más profundos
que un amor sin esperanza. 10
¡Diablo! que me voy volviendo,
con las tragedias de casa,
más romántico que el otro
con sus coplas y sus tramas.
¡Qué! ¡si tengo la cabeza 15

hecha toda un panorama
de escándalos, desafíos,
muertes, traiciones é infamias!
¡Jesús, qué día! ¡y qué noche!
¡y lo peor es lo que falta! (*Pequeña* 5
*pausa.*)
¡Vamos, que también ha sido
imprudencia temeraria
en tal estado sacarle...
y traerle...! ¡Pero vaya!... 10
¿Quién á mi tío se opone
cuando entre las dos arcadas
poderosas de sus cejas
una idea se le graba?
Y hay que darle la razón: 15
ninguna persona honrada,
teniendo un soplo de vida,
en tal caso y en tal casa,
se hubiera quedado. Y él
es hombre de temple y alma. 20
¿Quién viene?,..(*Acercándose al fondo.*)
Mi madre. Sí.

## ESCENA II

PEPITO *y* DOÑA MERCEDES, *por el fondo.*

MERC. ¿Y Severo?

PEP. No se aparta
ni un momento de su hermano.
Mucho pensé que le amaba;
pero á tanto no creí
que su cariño llegara. 5
¡Si sucede lo que temo!...

MERC. ¿Y tu tío?

PEP. Sufre y calla.
Algunas veces, «¡Teodora!»
dice con voz ronca y áspera; 10
«¡Ernesto!» dice otras veces,
y entre las manos la sábana
arruga. Después se queda
inmóvil como una estatua,
en el espacio vacío 15
fija tenaz la mirada,
y helado sudor de muerte
su frente copioso baña.
De pronto la calentura
vigor le presta: en la cama 20
se incorpora: escucha atento:
dice que *ella* y *él* le aguardan:
se arroja, quiere venir,
y sólo á fuerza de lágrimas
y de súplicas, mi padre 25
consigue calmar sus ansias.
¿Calmar? No: ¡que por sus venas
lleva su sangre abrasada,

las iras del corazón,
del pensamiento las llamas!
Vamos, madre, que da angustia
ver la contracción amarga
de su boca: ver sus dedos 5
crispados como dos garras,
y aquel cabello en desorden
y aquellas pupilas anchas,
que parece que codician
y beben desesperadas 10
todas las sombras que flotan
alrededor de la estancia.

MERC. ¿Y tu padre al verle?...

PEP. ¡Gime
y jura tomar venganza! 15
y también dice «¡Teodora!»
y también «¡Ernesto!» clama.
¡Quiera Dios no los encuentre,
porque si los encontrara,
quién sus enojos disipa, 20
quién sus furores ataja!

MERC. Tu padre es muy bueno.

PEP. Mucho;
pero con un genio, ¡vaya!...

MERC. Eso sí, muy pocas veces, 25
muy pocas veces se enfada;
pero como llegue el caso...

PEP. ¡Es un tigre de Bengala!...

salvo el respeto debido.
MERC. Siempre con razón sobrada.
PEP. No sé si siempre la tiene;
pero esta vez no le falta.
¿Y Teodora? 5
MERC. Arriba queda.
Quiso bajar... ¡y lloraba!...
¡Una Magdalena!...
PEP. ¡Ya!
¿Arrepentida ó liviana? 10
MERC. ¡No digas eso: infeliz!
¡Si es una niña!
PEP. Que mata,
inocente y candorosa,
dulce, purísima y mansa, 15
á don Julián. De manera
que si vale tu palabra,
y es una niña, y tal hace
casi al borde de la infancia,
deja los años correr 20
y Dios nos tenga en su gracia.
MERC. Ella casi no es culpable.
Tu amiguito, el de los dramas,
el poeta, el soñador...
¡el infame! fué la causa 25
de todo.
PEP. Si no lo niego.
MERC. ¿Y por dónde anda?

PEP. ¡Pues anda!...
Ernesto á estas horas corre
por las calles y las plazas,
huyendo de su conciencia
y sin poder evitarla. 5
MERC. Pero ¿la tienc?
PEP. Es posible.
MERC. ¡Qué tristezas!
PEP. ¡Qué desgracia!
MERC. ¡Qué desengaño! 10
PEP. ¡Cruel!
MERC, ¡Qué traición!
PEP. ¡De mano airada!
MERC. ¡Qué escándalo!
PEP. ¡Sin igual! 15
MERC. ¡Pobre Julián!
PEP. ¡Suerte aciaga!

## ESCENA III

DOÑA MERCEDES, PEPITO *y un* CRIADO.

CRIA. Don Ernesto.
MERC. ¡Y él se atreve!...
PEP. ¡Es osadía que pasma! 20
CRIA. Yo pensé...
PEP. Pensaste mal.
CRIA. Viene sólo de pasada.

Al cochero que traía,
le dijo: «Ya salgo: aguarda»
De modo...

PEP. (*Consultando con su madre.*)
¿Qué hacer? 5

MERC. Que pase.
(*Sale el Criado*)

PEP. Yo le despido.

MERC. Con maña.

## ESCENA IV

DOÑA MERCEDES *y* PEPITO, ERNESTO, *por el fondo. Doña Mercedes sentada en la butaca: al otro lado, en pie, Pepito; en segundo término Ernesto, sin que nadie se vuelva á saludarle.*

ERN. (*Aparte*) 10
(¡Desdén: silencio hostil: asombro mudo!
¡Prodigio de maldad y de insolencia
seré desde hoy sin culpa que me manche!...
¡para todos!... ¡que todos me desprecian!)

PEP. Escucha, Ernesto. 15
(*Volviéndose hacia él y con acento duro.*)

ERN. ¿Qué?

PEP. (*Lo mismo.*) Quiero decirte...

ERN. ¿Que salga acaso?

PEP. (*Cambiando de tono*) ¡Yo! ¡Jesús, qué idea!... 20

Era... no más... que preguntar... si es
[cierto...
(*Como buscando algo que decir.*)
que después... al Vizconde...

ERN. (*Con voz sombría y bajando la cabeza.*) 5
Sí.

PEP. ¿Tu diestra?...

ERN. Salí loco... bajaban... los detuve...
subimos otra vez... cierro la puerta.
Dos hombres... dos testigos... dos espadas... 10
Después... no sé... dos hierros que se estre-
[chan...
¡ un grito !... ¡ un golpe !... un ¡ ay ! ... ¡ sangre
[que brota ! ...
un asesino en pie... ¡ y un hombre en tierra ! 15

PEP. ¡ Qué diablo ! tiras bien. ¿ Oye usted, madre?

MERC. ¡ Más sangre aún !

PEP. Lo mereció Nebreda.

ERN. (*Acercándose.*)
¡ Mercedes, por piedad... una palabra ! 20
¿ Don Julián?... ¿ Don Julián?... Si usted su-
[piera
¡ cuál es mi angustia !... mi dolor... ¿ Qué
[dicen?

MERC. Que la herida mortal dentro la lleva 25
y más se encona cuanto más al lecho
de muerte y de dolor usted se acerca.
Salga usted de esta casa.

ERN. Quiero verle.
MERC. Salga usted pronto.
ERN. No.
PEP. Tal insolencia!...
ERN. Es muy digna de mí. (*A Pepito.*) 5
(*A doña Mercedes con tono respetuoso.*)
Perdón, señora:
soy como quieren los demás que sea.
MERC. ¡Por Dios, Ernesto!
ERN. Mire usted, Mercedes, 10
cuando á un hombre cual yo se le atropella
y sin razón se le declara infame,
y al crimen se le obliga y se le lleva,
la lucha es peligrosa... para todos;
pero no para mí, que en lucha fiera 15
con invisibles seres, he perdido
honra, cariño, amor, y no me resta
ya por perder más que girones tristes
de insípida y monótona existencia.
Sólo vine á saber si hay esperanza... 20
¡no más! ¡no más!... pues bien, ¿por qué
este consuelo? [me niegan
(*Suplicando á doña Mercedes*).
¡Una palabra!
MERC. Vamos... 25
Dicen... que está mejor.
ERN. ¿Pero de veras?...
¿No me engañan?... ¿Es cierto?... ¿Lo
[aseguran?...

¡Usted es compasiva!... ¡Usted es buena!...
¿Será verdad?... ¿será verdad, Dios mío?...
¡Que se salve, Señor!... ¡que no se muera!
¡que torne á ser feliz!... ¡que me perdone!
¡que me abrace otra vez!... ¡que yo le vea! 5
(*Cae en el sillón próximo á la mesa, y oculta el rostro entre las manos sollozando: Pausa.*)

MERC. Si oye tu padre... si tu padre viene...
(*Se levanta doña Mercedes, y ella y Pepito se acercan á Ernesto.*) 10
¡Juicio!... ¡Valor!... (*A Ernesto.*)

PEP. ¡Que un hombre llanto vierta!
(*Aparte.*)
(Estos seres nerviosos son terribles:
¡lloran y matan por igual manera!) 15

ERN. Si llanto vierto, si el sollozo acude
á mi garganta en convulsión histérica
si débil soy, como mujer ó niño,
no piensen que es por mí. ¡Por él! ¡por ella!
por su dicha perdida: por su nombre, 20
manchado para siempre: por la afrenta
que á cambio de su amor y beneficios
les dió... ¡no mi maldad! ¡mi suerte negra!
¡Por eso lloro! y si el pasado triste
con lágrimas ¡ay Dios! borrar pudiera, 25
¡en lágrimas mi sangre trocaría
sin dejar una gota por mis venas!

MERC. ¡Silencio por piedad!

PEP. Luego más tarde
hablaremos de llantos y tristezas.
ERN. Si todos hablan hoy, ¿por qué nosotros
no hemos de hablar también? La villa entera
es hervidero y torbellino móvil 5
que llama, absorbe, atrae, devora, anega,
tres honras, y tres nombres, y tres seres,
y entre espumas de risa se los lleva,
por canalizos de miseria humana,
al abismo social de la vergüenza, 10
y en él hunde por siempre de los tristes
el porvenir, la fama y la conciencia.
MERC. Más bajo, Ernesto.
ERN. No: si ya son voces,
si murmullos no son: ¡si el aire atruenan! 15
Ya nadie ignora el trágico suceso,
mas cada cual lo dice á su manera.
Todo se sabe siempre. ¡gran prodigio!
mas nunca la verdad ¡suerte funesta!
(*Ernesto en pie: á su lado, y mostrando in-* 20
*terés por saber lo que corre por la villa, doña*
*Mercedes y Pepito.*)
*Los unos*, que en mi casa sorprendida
Teodora por su esposo, yo con ciega
furia le arremetí, y al noble pecho 25
infame hierro le asestó mi diestra.
*Los otros*, mis amigos por lo visto,
de asesino vulgar al fin me elevan

á más noble región: yo le dí muerte,
pero en lucha leal... ¡un duelo en regla!
*Hay*, sin embargo, quien la historia sabe
con más exactitud, y *ése* ya cuenta
que tomó don Julián mi vez y puesto 5
en el pactado lance con Nebreda.
¡Llegué tarde!... por cálculo ó pavura,
ó porque en brazos... ¡No! mis labios quema
la frase impura, y mi cerebro loco
es todo llamas que volcán semejan. 10
!Buscad lo que más mancha: lo más bajo,
lo más infame, lo que más subleva,
lodos del corazón, cienos del alma,
escoria vil de míseras conciencias,
echadlo al viento, que las calles cruza, 15
con ello salpicad labios y lenguas,
y la historia tendréis de este suceso,
y encontraréis en ella lo que resta
de dos hombres de honor y de una dama
cuando sus honras por la villa ruedan! 20

MERC. Es triste, no lo niego; pero acaso
no todo es culpa en la opinión ajena.

PEP. Fué Teodora á tu casa... en ella estaba...

ERN. Para evitar el duelo con Nebreda.

PEP. ¿Pues por qué se ocultó? 25

ERN. Porque temimos
que fuese mal juzgada su presencia.

PEP. La explicación es fácil y sencilla:

lo difícil, Ernesto, es que la crean;
porque hay otra más fácil y más llana...

ERN. ¡Y que deshonra más! ¡y ésa es la buena!

PEP. Pues concede que al menos en Teodora
si malicia no fué, fué ligereza. 5

ERN. ¡El delito es prudente y cauteloso!
en cambio, qué imprudente la inocencia!

PEP. Pues mira, sólo hay ángeles y santos:
como apliques á todos esa regla...

ERN. Y bien tienes razón: tales calumnias 10
¿qué importan, ni qué valen, ni qué pesan?
¡Lo horrible es que se mancha el pensa-
[miento
al ruin contacto de la ruin idea!
¡Que á fuerza de pensar en el delito, 15
llega á ser familiar á la conciencia!
Que se ve repugnante y espantoso...
*¡pero se ve!*... !de noche en la tiniebla!
¡Esto sí!...
(*Aparte.*) 20
(¿Pero qué?...¿Por qué me
[escuchan
con curiosa mirada y faz suspensa?)
(*En voz alta.*)
Yo soy quien soy; mi nombre es nombre 25
[honrado:
si sólo por mentir maté á Nebreda,
por trocar en verdaderas sus calumnias

yo, conmigo culpable, qué no hiciera?

PEP. (¡Y negaba!... Si es claro.) (*Aparte á Mercedes.*)

MERC. (*Aparte á Pepito*) (Hay extravío.)

PEP. (Lo que hay en puridad es que confiesa.) 5

MERC. (*En alta voz.*)
Retírese usté, Ernesto.

ERN. No es posible.
Si yo esta noche lejos estuviera
de aquel lecho... señora, perdería 10
¡el juicio!... ¡la razón!...

MERC. ¿Pero si llega
Severo, y si le ve?

ERN. ¿Y qué me importa?
El es hombre leal... ¡mejor!... ¡que venga! 15
Huye quien teme, y teme quien engaña!
y no es fácil que yo ni huya ni tema.

PEP. Pues se acercan. (*Después de escuchar.*)

MERC. ¡Es él!

PEP. (*Yendo al fondo.*) No es él. Teodora. 20

ERN. ¡Es Teodora!... ¡Teodora!... ¡Quiero verla!

MERC. ¡Ernesto! (*Con severidad*)

PEP. ¡Ernesto!

ERN. Sí... para pedirle
que me perdone. 25

MERC. ¿Usted no considera?...

ERN. Lo considero todo y lo comprendo.
¿Juntos los dos? ¡Ah! no. Basta: no teman.

¡Dar por ella mi sangre, dar mi vida,
mi porvenir, mi honor y mi conciencia!...
pero ¿vernos? jamás: ya no es posible.
¡Vapor de sangre entre los dos se eleva!
(*Sale por la izquierda*). 5

## ESCENA V

DOÑA MERCEDES *y* PEPITO

MERC. Déjame á solas con ella.
Vete con tu padre adentro.
Quiero llegar hasta el centro
de su corazón. Y mella
le han de hacer, lo sé de sobra, 10
mis palabras.

PEP. Pues las dos
os quedáis.

MERC. Adiós.

PEP. Adiós. 15
(*Sale por la derecha, segundo término.*)

MERC. Pongamos mi plan por obra.

## ESCENA VI

TEODORA *y* DOÑA MERCEDES. *Teodora entra tímidamente, se detiene junto á la puerta de don Julián (segundo término derecha) y escucha con ansia, ahogando con el pañuelo sus sollozos.*

MERC. Teodora...
TEOD. ¿Eres tú?...
(*Viniendo á su encuentro.*)
MERC. Valor.
Con llorar, ¿qué se consigue? 5
TEOD. ¿Cómo sigue?... ¿cómo sigue?
¡La verdad!...
MERC. Mucho mejor.
TEOD. ¿Se salvará?
MERC. Ya lo creo. 10
TEOD. ¡Mi vida por él, Dios mío!
MERC. (*La trae cariñosamente al primer término.*)
Y después... después confío
en tu juicio... que harto veo, 15
por tu llanto y tu ansiedad,
tu arrepentimiento.
TEOD. Sí:
(*Doña Mercedes asiente y parece sospechosa.*) 20
hice muy mal ¡ay de mí!

en ir á verle, es verdad.
(*Desagrado de doña Mercedes al ver que no es la clase de arrepentimiento que creía.*)
Pero anoche me dijiste 5
lo del insulto y el duelo...
Yo te agradezco ese celo,
aunque el daño que me hiciste
no lo puedes sospechar,
ni explicártelo sabría: 10
¡ay qué noche, madre mía!
(*Cruzando las manos y mirando al cielo*)
¡qué gemir, que delirar!
¡De mi Julián los enojos!...
¡el escándalo!... ¡la afrenta!... 15
¡la sangre!... ¡la lid violenta!...
¡todo pasó ante mis ojos!
Y también el pobre Ernesto,
muriendo tal vez por mí...
¿Por qué me miras así? 20
¿Pero qué mal hay en esto?
¿Es que no estás convencida?
¿Piensas como los demás?

MERC. (*Con tono seco.*) Pienso que estaba de más
que temieses por la vida 25
de ese joven.

TEOD. No. ¡Nebreda
es famoso espadachín!

Ya ves... mi Julián...

MERC. Al fin
tu Julián vengado queda,
y el espadachín tendido
de un golpe en el corazón; 5
de suerte que sin razón...
has dudado y has temido.
(*Con intención y dureza.*)

TEOD. ¿Y fué Ernesto? (*Con interés.*)

MERC. Ernesto, sí. 10

TEOD. ¡Al Vizconde!

MERC. Frente á frente.

TEOD. (*Sin poder dominarse.*)
¡Ah! ¡qué noble y qué valiente!

MERC. ¡Teodora! 15

TEOD. ¿Qué quieres? dí.

MERC. (*Con severidad.*)
Te adivino el pensamiento.

TEOD. ¿Mi pensamiento?

MERC. Sí. 20

TEOD. ¿Cuál?

MERC. ¡Bien lo sabes!

TEOD. Hice mal
al demostrar mi contento
por ver á Julián vengado: 25
mas del alma impulso ha sido
que refrenar no he podido.

MERC. No es eso lo que has pensado.

TEOD. ¿Pero tú lo has de saber<br>
mejor que yo misma?<br>
MERC. (*Con profunda intención.*) Mira,<br>
cuando mucho el alma admira,<br>
va camino del querer. 5<br>
TEOD. ¿Que yo admiro?<br>
MERC. La bravura<br>
de ese mozo.<br>
TEOD. ¡Su nobleza!<br>
MERC. Da lo mismo, así se empieza. 10<br>
TEOD. ¡Eso es delirio!<br>
MERC. ¡Es locura!<br>
pero en tí...<br>
TEOD. ¡No cede! ... ¡no!...<br>
¡Siempre esa idea maldita!... 15<br>
¡Lástima inmensa; infinita!<br>
eso es lo que siento yo.<br>
MERC. ¿Por quién?<br>
TEOD. ¿Por quién ha de ser?<br>
Por Julián. 20<br>
MERC. ¿Nunca has oído<br>
que van lástima y olvido<br>
á la par en la mujer?<br>
TEOD. ¡Calla, por Dios!... ¡por piedad!<br>
MERC. Quiero alumbrar tu conciencia 25<br>
con la voz de mi experiencia<br>
y la luz de la verdad. (*pausa.*)<br>
TEOD. Te escucho, y al escucharte,

no mi madre, no mi hermana,
no mi amiga, me parece,
tal me suenan tus palabras,
que Satanás por tus labios
aconseja, inspira y habla. 5
¿ Por qué quieres convencerme,
que mengua, y mengua en el alma,
el cariño de mi esposo,
y que en ella impuro se alza
otro cariño rival 10
con fuego que quema y mancha?
¡ Si yo quiero como quise !
Si yo diera, hasta agotarla,
toda la sangre que corre
por mis venas y me abrasa, 15
por sólo un punto de vida
(*Señalando hacia el cuarto de dón Julián*)
de aquél de quien me separan.
Si yo entraría ahora mismo,
si tu esposo me dejara, 20
y en mis brazos á Julián,
inundándole de lágrimas,
con cariño tan entero
y tal pasión estrechara,
que se fundieran sus dudas 25
al calor de nuestras almas!
¿Y porque á Julián adore
he de aborrecer ingrata

al que noble, generoso,
por mí su vida arriesgaba?
¿Y no aborrecerle es ya...
amarle? ¡Jesús me valga!...
Tales cosas piensa el mundo, 5
oigo historias tan extrañas,
tan tristes sucesos miro,
tales calumnias me amagan,
que á veces dudo de mí
y me pregunto espantada: 10
¿seré lo que dicen todos?
¿llevaré pasión bastarda
en el fondo de mi ser,
quemándome las entrañas,
y sin saberlo yo misma, 15
en hora triste y menguada,
por potencias y sentido
brotará la infame llama?

MERC. ¿Luego me dices verdad?
TEOD. ¡Si digo verdad!... 20
MERC. ¿No le amas?
TEOD. ¡Mira, Mercedes, que yo
no sé cómo te persuada!
¡Tal pregunta en otro tiempo
la sangre me sublevaba, 25
y ahora, ya lo ves, discuto
si soy ó no soy honrada!
¿Es esto serlo de veras?

¿es serlo con todo el alma?
¡No! ¡sufrir la humillación
es ser digna de la mancha!
(*Se oculta el rostro entre las manos y cae
en la butaca de la derecha.*) 5

MERC. No llores: vamos, te creo.
No llores, Teodora... basta.
No más. Ya sólo te digo,
y concluyo, una palabra.
Ernesto no es lo que crees: 10
no merece tu confianza.

TEOD. Es bueno, Mercedes.

MERC. No.

TEOD. Quiere á mi Julián.

MERC. Le engaña. 15

TEOD. ¡Otra vez!... ¡Jesús mil veces!

MERC. No digo que tú escucharas
su pasión: tan sólo digo...
digo tan sólo *que te ama*.

TEOD. ¿El á mí? (*Con asombro y levantándose.*) 20

MERC. ¡Lo saben todos!
¡Hace poco, en esta sala,
delante de mí, de mi hijo.
ya ves tú!...

TEOD. (*Con ansia*) Y bien, acaba. 25
¿Qué?

MERC. ¡Que confesó de plano!
¡Y con frase arrebatada

juró que por tí daría
vida, honor, conciencia y alma!
¡Y al llegar tú, quiso verte,
y sólo á fuerza de instancias
conseguí que se marchase 5
adentro! Y estoy en ascuas
por si le encuentra Severo
y sus enojos estallan.
Y ahora, ¿qué dices?
(*A pesar suyo, ha seguido esta relación* 10
*con una mezcla extraña de interés, asombro y terror, algo indefinible.*)

TEOD. ¡Dios mío!
¡será verdad tanta infamia!
¡Y yo que por él sentía!... 15
¡Y yo que le profesaba
cariño tan verdadero!...

MERC. ¿Otra vez lloras?

TEOD. ¡El alma
no ha de llorar desengaños 20
de esta vida desgraciada!
Un ser tan noble, tan puro...
ver cómo se hunde y se mancha..
Y dices que está allí dentro...
¡él!... ¡Ernesto!... ¡Virgen santa! 25
Mira, Mercedes... Mercedes...
¡que se aleje de esta casa!

MERC. Eso quiero yo también,

y tu energía me agrada. (*Con verdadero gozo.*)
¡Perdóname!... ¡que ahora creo!...
(*Abrazándola con efusión.*)

TEOD. ¿Y antes no? 5
(*La actriz dará á esta frase toda la intención que el autor ha querido que tenga*)

MERC. Silencio ... calla ...
él se acerca.

TEOD. (*Con ímpetu.*) ¡No he de verle! 10
Díle tú ... ¡Julián me aguarda!
(*Dirigiéndose á la derecha.*)

MERC. (*Deteniéndola.*)
Imposible... ya lo sabes ...
y él mis órdenes no acata 15
Y ahora que conozco á fondo
tus sentimientos, me agrada
que encuentre el desprecio en ti
que antes halló en mis palabras.

TEOD. ¡Déjame! 20

ERN. (*Deteniéndose al entrar.*)
¡Teodora!...

MERC. (*Aparte á Teodora.*) (Es tarde.
Cumple tu deber y basta.)
(*En voz alta á Ernesto.*) 25
El mandato que hace poco
de mis labios escuchaba,
va á repetirlo Teodora,

como dueña de esta casa.

TEOD. (*En voz baja á Mercedes.*)
(No me dejes.)

MERC. (*Lo mismo á Teodora.*) (¿Temes algo?)

TEOD. (¡Yo temer! ... No temo nada.) 5
(*Le hace señal de que salga. — Sale Mercedes por la derecha, segundo término.*)

## ESCENA VII

TEODORA *y* ERNESTO.

ERN. Que saliese... fué el mandato.
(*Pausa. Los dos guardan silencio y no* 10 *se atreven á mirarse.*)
¿Y usted... lo repite ahora?
(*Teodora hace una señal afirmativa, pero sin fijar la vista en él.*
Pues no tema usted, Teodora: 15
yo lo cumplo y yo lo acato.
(*Triste y respetuoso*)
¡Los demás no hallarán modo
de obediencia, aunque les pese!
(*Con dureza.*) 20
De usted... aunque me ofendiese...
de usted... yo lo sufro todo.
(*Con sumisión.*)

TEOD. ¡Ofenderle, Ernesto!... No.
¿Cree usted que yo...
(*Sin mirarle, contrariada y temerosa.*)

ERN. No lo creo.

(*Nueva pausa.*) 5

ERN. Adiós, Teodora,
(*Sin volverse ni mirarlo.*)
Adiós, Teodora.
(*Se detiene un momento; pero Teodora no se vuelve, ni fija en él los ojos, ni le* 10 *tiende la mano. Al fin se aleja. Después de llegar al fondo, vuelve y se acerca á ella. Teodora le siente venir y se estremece, pero no dirige á él la vista.*)

Si yo 15
todo el mal que, á mi pesar,
por mi maldecida suerte,
le he causado, con mi muerte
ahora pudiese borrar,
bien pronto no quedaría, 20
lo juro como hombre honrado,
ni una sombra del pasado,
ni un suspiro de agonía,
ni esa triste palidez,
(*Teodora levanta la cabeza y le mira con* 25 *profundo terror.*)
ni esa mirada que espanta,
ni un sollozo en su garganta,

(*Teodora ahoga, en efecto, un sollozo.*)
ni una lágrima en su tez.

TEOD. (*Aparte, alejándose de Ernesto.*)
(¡ Mercedes dijo verdad !...
y yo ciega, inadvertida...) 5

ERN. Un adiós de despedida,
uno sólo, ¡ por piedad !

TEOD. Adiós... sí... yo le perdono
el mal que nos hizo.

ERN. ¡ Que hice ! 10
¡ Yo, Teodora !

TEOD. Usted lo dice.

ERN. ¡ Esa mirada ! . . . ¡ Ese tono !. . .

TEOD. ¡ No más, Ernesto, por Dios !

ERN. ¿ Qué hice yo que mereciera ?. . . 15

TEOD. Como si yo no existiera:
todo acabó entre los dos.

ERN. ¡ Ese acento !... ¡ Ese desdén ! . . .

TEOD. (*Con dureza y extendiendo el brazo hacia la puerta.*) 20
¡ Salga usted !

ERN. ¡ Que salga... así !

TEOD. ¡ Mi esposo se muere allí . . .
y aquí me muero también ! . . .
(*Vacila y tiene que apoyarse en el respaldo de la butaca para no caer.*) 25

ERN. (*Precipitándose para sostenerla.*)
¡ Teodora !

TEOD. (*Rechazándole con energía*)
¡Tocarme, no!
¡Sola!
(*Pausa. La actitud y las miradas de los actores, las que su talento les inspire.*) 5
Ya el pecho se ensancha.
(*Quiere dar unos pasos: de nuevo le faltan las fuerzas y de nuevo quiere sostenerla Ernesto. Ella le rechaza y se aleja de él.*) 10

ERN. ¿Por qué no?

TEOD. (*Con dureza.*) ¡Porque usted mancha!

ERN. ¿Que yo mancho?

TEOD. Cierto.

ERN. ¡Yo! 15
(*pausa*)
¿Pero qué dice, Dios mío?...
¡Ella también!... ¡Imposible!
¡Si la muerte es preferible!...
¡No es verdad!... ¡Yo desvarío!... 20
¡Diga usted que no, Teodora!
¡Una frase, por el cielo,
de perdón, ó de consuelo,
ó de lástima, señora!
¡Yo me resigno á partir 25
y á no verla á usted ya nunca,
aunque esto desgarra y trunca
y mata mi porvenir!

Pero es si á mi soledad
me siguen, con su perdón,
su afecto, su estimación...
¡ por lo menos su piedad !
¡ Es creyendo que usted cree 5
que soy leal, que soy honrado,
que ni mancho, ni he manchado,
ni afrento, ni afrentaré !
¡ Me importa poco del mundo,
desdeño sus maldiciones, 10
y me inspiran sus pasiones
el desprecio más profundo !
Hiera terco, ó hiera cruel,
murmure de lo que fuí,
nunca pensará de mí 15
todo lo que pienso de él !
¡ Pero usted ! ¡ el ser más puro
que forjó la fantasía !
¡ usted ! ¡ por quien yo daría,
una y mil veces, lo juro, 20
y con ansia, con anhelo,
en esta insensata guerra,
no ya mi vida en la tierra,
sino mi puesto en el cielo !
¡ usted sospechar que yo 25
de traiciones soy capaz,
que no está el mal en mi faz !...
eso, Teodora... ¡ eso, no !

(*Con profunda emoción, con angustia profundísima, con acento desesperado*)

TEOD. (*Con creciente ansiedad.*)
¡No me ha comprendido usted!
Separémonos, Ernesto. 5

ERN. ¡Así no es posible!...

TEOD. ¡Presto!...
¡se lo pido por merced!...
Julián... sufre... (*Señalando hacia su cuarto.*) 10

ERN. Ya lo sé.

TEOD. Pues no lo olvidemos.

ERN. No.
¡Pero también sufro yo!

TEOD. ¡Usted, Ernesto!... ¿por qué? 15

ERN. ¡Por su desprecio!

TEOD. No hay tal.

ERN. Usted lo dijo.

TEOD. Mentí.

ERN. ¡No! Fué por algo; y así 20
no sufrimos por igual.
¡En este luchar eterno,
en esta implacable guerra,
*él* sufre como en la tierra,
y yo como en el infierno! 25

TEOD. ¡Por Dios!... ¡Se abrasa mi frente!

ERN. ¡Se oprime mi corazón!

TEOD. ¡Basta, Ernesto; compasión!

ERN. ¡Eso pido solamente!
TEOD. ¡Piedad!
ERN. ¡Pues eso, piedad!
De mí... ¿qué teme... ó qué piensa?
(*Acercándose á ella.*) 5
TEOD. Perdone usted si hubo ofensa...
ERN. Ofensa, no. ¡La verdad!
¡La verdad es lo que quiero!
¡Y la pido de rodillas,
con el llanto en las mejillas! 10
(*Se inclina ante Teodora y le coge una mano. En este momento, en la puerta que corresponde al cuarto de don Julián, aparece don Severo y en ella se detiene.*)
SEV. (*Aparte.*) 15
(¡Miserables!)
TEOD. ¡Don Severo!

## ESCENA VIII

TEODORA, ERNESTO *y* DON SEVERO. *Ernesto se separa hacia la izquierda; don Severo viene á colocarse entre él y Teodora.*

SEV. (*A Ernesto, con ira reconcentrada y en voz baja para que no les oiga don Julián,*)
Por no encontrar ni frase ni palabra 20
que mi cólera exprese y mi desprecio,

habré de contentarme con decirle:
¡Es usté un miserable!... ¡Salga presto!

ERN. (*Lo mismo.*)
Por respeto á Teodora y á esta casa,
porque sufre quien sufre en aquel lecho, 5
habré de contentarme, señor mío,
con poner la respuesta... en el silencio.

SEV. (*Creyendo que sale y con cierta ironía.*)
Callar y obedecer es lo prudente.

ERN. No me ha entendido usted: si no obedezco. 10

SEV. ¿Se queda usted?

ERN. En tanto que Teodora
no reitere el mandato, aquí me quedo.
Iba á salir ha poco para siempre,
y Dios ó Satanás me detuvieron. 15
Vino usted, me arrojó, y á sus injurias,
cual si fuesen conjuros del infierno,
raíces sentí brotar, que de mis plantas
se agarraban firmísimas al suelo.

SEV. Voy á probar llamando á los criados 20
si á palos las arrancan.
(*Ernesto da un paso hacia don Severo con aire amenazador. Teodora se precipita entre los dos y le contiene.*)

ERN. Pruebe. 25

TEOD. ¡Ernesto!
(*Volviéndose después con energía y dignidad hacia su cuñado.*)

Olvida usted, sin duda, que en mi casa
mientras viva mi esposo, que es su dueño,
para mandar aquí, los dos tan sólo
autoridad tenemos y derecho.
(*A Ernesto con dulzura.*) 5
No por él... por mi causa, por mi angustia...
(*Ernesto no puede ocultar su alegría al ver que Teodora le defiende.*)

ERN. Teodora, ¿usted lo quiere?

TEOD. Se lo ruego. 10
(*Ernesto se inclina respetuosamente y se dirige al fondo.*)

SEV. ¡Me confunde y me asombra tu osadía,
tanto... no, mucho más que la de Ernesto!
(*Acercándose amenazador á Teodora, Ernesto, que ha dado unos pasos, se detiene; pero luego, haciendo un esfuerzo sobre sí mismo, sigue su camino.*) 15
¡Alzar osas la frente, desdichada,
y delante de mí! ¡La frente al suelo! 20
(*Ernesto hace movimientos análogos á los anteriores pero más acentuados.*)
Tú, tímida y cobarde, ¿cómo encuentras
por defenderle enérgicos acentos?
¡Bien habla la pasión! 25
(*Ernesto ya en el fondo se detiene.*)
¡Pero tú olvidas
que antes de echarle á él, supo Severo

de esta casa arrojarte, que manchabas
con sangre de Julián! ¿Para qué has vuelto?
(*Cogiéndola brutalmente por un brazo, sujetándola con furor y acercándose más y más á ella.*) 5

ERN. ¡Ah! ¡No es posible!... ¡No!...
(*Se precipita entre Teodora y Severo y los separa.*)
¡Suelta, villano!

SEV. ¡Otra vez! 10

ERN. ¡Otra vez!

SEV. ¡Vienes de nuevo!

ERN. Pues á Teodora tu insolencia ofende
(*Desde este momento no es dueño de sí.*)
y me siento con vida, ¿qué remedio? 15
¡Volver, volver, y castigar tu audacia
y llamarte cobarde á voz en cuello!

SEV. ¡A mí!

ERN. Sin duda.

TEOD. ¡No! 20

ERN. ¡Si él lo ha querido!
¡Si la mano le vi poner colérico
sobre usted, sobre usted!... (*A Teodora.*)
¡De esta manera!
(*Coge violentamente á don Severo por un brazo.*) 25

SEV. ¡Insolente!

ERN. ¡Es verdad; pero no suelto!

¿Tuvo usted madre? Sí. ¿La amaba mucho?  
¿La respetaba aún más? ¡Pues así quiero  
que respete á Teodora y que se humille  
de esta mujer ante el dolor inmenso!  
¡¡De esta mujer, más pura y más honrada 5  
que su madre de usted, mal caballero!!

SEV. ¡A mí!... ¡Tal dice!

ERN. ¡Sí, y aun no he con-  
[cluido!

SEV. ¡Tu vida!... 10

ERN. Sí, mi vida; pero luego.  
(*Teodora quiere separarlo; pero él la aparta dulcemente con una mano sin soltar la otra.*)  
En un Dios creerá usted: es necesario...  
¡Un Hacedor!... ¡Una esperanza!... Bueno. 15  
Pues como dobla sus rodillas torpes  
ante el altar del Dios que está en los cielos,  
ante Teodora han de doblarse, y pronto!  
¡Abajo!... ¡Al polvo!

TEOD. ¡Por piedad! 20

ERN. ¡Al suelo!  
(*Le obliga á arrodillarse delante de Teodora.*)

TEOD. ¡Basta, Ernesto!

SEV. ¡Mil rayos!

ERN. ¡A sus plantas! 25

SEV. ¡Tú!

ERN. ¡Yo!

SEV. ¡Por ella!

ERN. ¡ Sí !

TEOD. ¡ No más !... ¡ Silencio !

*(Teodora, aterrada, señala hacia el cuarto de don Julián. Ernesto suelta su presa: don Severo se levanta y retrocede hacia la derecha. Teodora se lleva hacia el fondo á Ernesto. De este modo ella y él forman un grupo que se aleja.)*

## ESCENA IX

TEODORA, ERNESTO *y* DON SEVERO: *después* DON JULIAN *y* DOÑA MERCEDES.

JULIAN ¡ Déjame ! (*Desde dentro.*)

MERC. ¡ No, por Dios !... (*Lo mismo.*)

JULIAN ¡ Son ellos... vamos !...

TEOD. ¡ Salga usted !... (*A Ernesto llevándosele*)

SEV. (*A Ernesto.*) ¡ Mi venganza !

ERN. No la niego.

*(En este momento se presenta don Julián, pálido, descompuesto, casi moribundo, y doña Mercedes conteniéndole. Al presentarse él, don Severo está á la derecha, primer término, y Teodora y Ernesto formando un grupo en el fondo.)*

JULIAN ¡ Juntos !... ¿ Adónde van ?... ¡ Que los deten- [gan !
¡ Huyen de mí !... ¡ Traidores !

(*Quiere precipitarse sobre ellos pero le faltan las fuerzas y vacila.*)

SEV. (*Acudiendo á sostenerle.*) ¡ No !

JULIAN ¡ Severo,
me engañaban !... ¡ mentían !... ¡ miserables ! 5
(*Mientras pronuncia estas palabras, entre doña Mercedes y don Severo le traen á la butaca de la derecha.*)
¡ Allí !... ¡ Mira ! ¡ Los dos... ella y Ernesto !
¿ Por qué están juntos ? 10

TEOD.
ERN. } (*Se separan uno de otro.*) ¡ No !

JULIAN ¿ Por qué no vienen ?
¡ Teodora ! . . .

TEOD. (*Tendiéndole los brazos, pero sin acercarse.*) 15
¡ Mi Julián ! . . .

JULIAN ¡ Sobre mi pecho !
(*Teodora se precipita en los brazos de don Julián, que la estrecha fuertemente. Pausa.*)
¿ Ya lo ves ?... ¿ ya lo ves ?... ¡ sé que me en- 20
(*A su hermano.*) [gañan !...
¡ y en mis brazos la oprimo y la sujeto !
¡ y puedo darle muerte !... ¡ y la merece !...
¡ y *la miro* !... ¡ *la miro* !... ¡ y ya no puedo !...

TEOD. ¡ Julián !... 25

JULIAN ¿ Y aquél ?... (*Señalando á Ernesto.*)

ERN. ¡ Señor !

JULIAN ¡ Y yo le amaba !...

Calla y acércate... (*Ernesto se aproxima.*)
(*Sujetando á Teodora.*) ¡ Aún soy su dueño !

TEOD. ¡ Tuya !... ¡ tuya !...

JULIAN ¡ No finjas ! ¡ no me mientas !

MERC. ¡ Por Dios santo !... (*Procurando calmarle.*) 5

SEV. (*Lo mismo.*) ¡ Julián !...

JULIAN (*A los dos.*) ¡ Callad !... ¡ silencio !
(*A Teodora.*)
¡ Si yo te adiviné !... ¡ si sé que le amas !
(*Teodora y Ernesto quieren protestar, pero* 10
*no les deja.*)
¡ Si lo sabe Madrid !... ¡ Madrid entero !

ERN. ¡ No, padre !

TEOD. ¡ No !

JULIAN ¡ Lo niegan !... ¡ y lo niegan ! 15
¡ Si es la evidencia ! ¡ si en mi ser la siento !
¡ porque esta calentura que me abrasa,
con su llama ilumina mi cerebro !

ERN. ¡ Del hervor de la sangre, del delirio,
todas esas ficciones son engendros ! 20
¡ Escuche usted, señor !

JULIAN ¡ Vas á mentirme !

ERN. (*Señalando á Teodora.*)
¡ Es inocente !

JULIAN ¡ No !... ¡ si no te creo !... 25

ERN. ¡ De mi padre, señor, por la memoria !...

JULIAN ¡ No profanes su nombre y su recuerdo !

ERN. ¡ Por el último beso de mi madre !

JULIAN ¡ No está en tu frente ya su último beso !

ERN. Por cuanto quiera usted, ¡ oh, padre mío !
jurar̃é, juraré.

JULIAN No juramentos,
ni engañosas palabras, ni protestas... 5

ERN. Pues bien, ¿ qué quiere usted ?

TEOD. ¿ Qué quieres ?

JULIAN ¡ Hechos !

ERN. ¿ Qué desea, Teodora ? ¿ Qué nos pide ?

TEOD. ¡ Yo no lo sé!... ¿ Qué hacer ? ¿ qué hacer, 10
[Ernesto ?

JULIAN (*Que les ha seguido con mirada febril y con instintiva desconfianza.*)
¡ Ah ! ¿ Delante de mí buscáis engaños ?...
¡ Os concertáis, infames !... ¡ Lo estoy viendo ! 15

ERN. ¡ Por la fiebre ve usted, no por los ojos !

JULIAN ¡ La fiebre, sí ! ¡ Como la fiebre es fuego,
la venda consumió que ante la vista
me pusisteis los dos, y al fin ya veo ! [dores ?
Y ahora, ¿ por qué os miráis ... por qué trai- 20
¿ por qué brillan tus ojos ? ¡ Habla Ernesto !
No es el brillo del llanto... Ven... Más cerca...
aun más ...
(*Le obliga á acercarse: le hace bajar la cabeza y al fin viene á caer de rodillas ante él.* 25
*De este modo queda don Julián entre Teodora, que está á su lado, y Ernesto que está á sus pies. En esta actitud le pasa la mano por los ojos.*)

¿Lo ves?... ¡no es llanto!... ¡si están
ERN. ¡Perdón!... ¡perdón!... [secos!
JULIAN ¡Pues si perdón me pides,
confiesas tu maldad!
ERN. ¡No! 5
JULIAN ¡Sí!
ERN. ¡No es eso!
JULIAN Pues cruzad ante mí vuestras miradas...
SEV. ¡Julián!
MERC. ¡Señor! 10
JULIAN (*A Teodora y Ernesto.*) ¿Acaso tenéis miedo?
¿No os amáis como hermanos? ¡Pues pro-
[badlo!
De las anchas pupilas á los cercos
salgan las almas y sus castas luces 15
en mi presencia mezclen sus reflejos,
que yo veré, porque veré de cerca,
si esos rayos de luz son *luz ó fuego!*
Tú, Teodora, también... si ha de ser... va-
¡Venid!... ¡los dos!... ¡aun más! [mos... 20
(*Hace caer ante él á Teodora, los aproxima á la fuerza y les obliga á mirarse.*)
TEOD. (*Separándose con un violento esfuerzo.*)
¡Ah! ¡no!
ERN. (*Procura desasirse, pero don Julián le sujeta*) 25
¡No puedo!
JULIAN ¡Os amáis!... ¡os amáis!... ¡claro lo he visto!
¡Tu vida! (*A Ernesto.*)

ERN. ¡ Sí !

JULIAN ¡ Tu sangre !

ERN. ¡ Toda !

JULIAN (*Sujetándole de rodillas.*) ¡ Quieto !

TEOD. ¡ Julián ! (*Conteniéndole.*) 5

JULIAN ¿ Tú le defiendes ?... ¿ Le defiendes ?...

TEOD. ¡ Pero si no es por él !

SEV. ¡ Por Dios !...

JULIAN (*A don Severo.*) ¡ Silencio !
¡ Mal hijo !... ¡ mal hijo ! 10
(*Sujetándole á sus pies.*)

ERN. ¡ Padre mío !

JULIAN ¡ Desleal !...¡ Traidor ! (*Lo mismo.*)

ERN. ! No, padre !

JULIAN Voy el sello 15
á ponerte de vil en la mejilla...
¡ hoy con mi mano !... ¡ pronto con mi acero !
(*Con un resto de suprema energía se incorpora y le golpea en el rostro.*)

ERN. (*Da un grito terrible, se levanta y se separa* 20 *hacia la izquierda cubriéndose la cara.*)
¡ Ah !

SEV. ¡ Justicia !
(*Extendiendo el brazo hacia Ernesto.*)

TEOD. ¡ Jesús ! 25
(*Se oculta el rostro entre las manos y va á caer en una silla de la derecha.*)

MERC. ¡ Delirio ha sido !

(*A Ernesto como disculpando á don Julián.*)
(*Estos cuatro gritos, rapidísimos. Momentos de estupor. Don Julián siempre en pie y mirando á Ernesto. Doña Mercedes y don Severo conteniéndole.*) 5

JULIAN ¡Delirio, no! ¡castigo, vive el cielo!
¿Qué pensabas, ingrato?

MERC. Vamos... vamos...

SEV. Ven, Julián...

JULIAN ¡Sí, ya voy! 10
(*Se encamina penosamente hacia su cuarto sostenido por don Severo y doña Mercedes, pero deteniéndose algunas veces para mirar á Ernesto y Teodora.*)

MERC. ¡Pronto, Severo! 15

JULIAN ¡Míralos... los infames... fué justicia!
¿no es verdad?... ¿no es verdad?... Yo así lo [creo.

SEV. ¡Por Dios, Julián!... ¡Por mí!

JULIAN ¡Tú solo! ¡solo...
me has querido en el mundo!... 20
(*Abrazándole.*)

SEV. ¡Yo, sí! ¡cierto!

JULIAN (*Sigue caminando: cerca de la puerta se detiene y otra vez los mira.*)
¡Y ella llora por él! ¡y no me sigue!... 25
¡ni me mira! ¡ni ve... que yo me muero!..
¡Me muero... sí!

SEV. ¡Julián!...

JULIAN ¡ Espera... espera !...
(*Deteniéndose en la misma puerta.*)
¡ Deshonra por deshonra !... ¡ Adiós, Ernesto !
(*Salen don Julián, don Severo y doña Mercedes por la derecha segundo término.*) 5

## ESCENA X

TEODORA *y* ERNESTO. *Ernesto cae en el sillón próximo á la mesa. Teodora continúa á la derecha. Pausa.*

ERN. (*Aparte.*) ¡ De qué sirve la lealtad !
TEOD. ¡ De qué sirve la inocencia !
ERN. ¡ Se oscurece mi conciencia !
TEOD. ¡ Piedad, Dios mío, piedad !
ERN. ¡ Suerte fiera ! 10
TEOD. ¡ Triste suerte !
ERN. ¡ Pobre niña !
TEOD. ¡ Pobre Ernesto !
(*Hasta aquí todos son apartes.*)
SEV. (*Desde dentro: los que siguen son gritos de suprema angustia.* 15
¡ Hermano !
MERC. ¡ Socorro !
PEP. ¡ Presto !
(*Ernesto y Teodora se levantan y se acercan uno á otro.*) 20

TEOD. ¡Gritos de dolor!...

ERN. ¡De muerte!...

TEOD. ¡Vamos pronto!

ERN. ¿Dónde?

TEOD. Allí. 5

ERN. (*Deteniéndola.*) No podemos.

TEOD. ¿Por qué no?

¡Yo quiero que viva! (*Con ansia.*)

ERN. (*Lo mismo.*) ¡Y yo!

pero no puedo... 10

(*Señalando hacia el cuarto de don Julián.*)

TEOD. ¡Yo sí!

(*Precipitándose hacia allá.*)

## ESCENA ÚLTIMA

TEODORA, ERNESTO, DON SEVERO *y* PEPITO. *La disposición de los personajes es la siguiente: Ernesto, en pie en el centro. Teodora, en la puerta del cuarto de don Julián. Cerrándole el paso don Severo, que sale un momento después que Pepito.*

PEP. ¿Dónde vas? 15

TEOD. (*Con desesperada ansiedad.*) ¡Le quiero ver!

PEP. ¡No es posible!

SEV. ¡No se pasa!...

¡Esa mujer en mi casa!...

¡Pronto... arroja esa mujer!... (*A su hijo.*)
¡Sin compasión!... ¡Al instante!

ERN. ¿Qué dice?

TEOD. ¡Yo desvarío!

SEV. ¡Aunque tu madre, hijo mío, 5
se ponga de ella delante,
has de cumplir mi mandato!
¡Aunque suplique!... ¡Aunque implore.
Si llora... nada, ¡que llore!
(*A su hijo, con ira reconcentrada.*) 10
¡Lejos... lejos... ó la mato!

TEOD. ¡Julián manda!...

SEV. ¡Julián, sí!

ERN. ¿Su esposo?... ¡No puede ser!

TEOD. ¡Verle! 15

SEV. ¡Pues le vas á ver;
y después... huye de aquí!

PEP. ¡Padre! (*Como queriendo oponerse.*)

SEV. Deja... (*A Pepito, separándole.*)

TEOD. ¡Si no es cierto! 20

PEP. ¡Si es horrible!

TEOD. ¡Si es mentira!

SEV. ¡Ven, Teodora... ven y mira!
(*La coge por un brazo, la lleva á la puerta del cuarto de don Julián, levanta el cortinaje 25
y señala el interior.*)

TEOD. ¡El!... ¡Julián!... ¡Mi Julián!... Muerto!...

(*Dice esto retrocediendo en ademán trágico y cae desplomada en el centro.*)

ERN. ¡ Padre !

(*Cubriéndose el rostro. Pausa: don Severo los contempla con mirada rencorosa.*)

SEV. (*A su hijo, señalando á Teodora.*)
¡ Arrójala !

ERN. (*Poniéndose delante del cuerpo de Teodora.*)
¡ Cruel !

PEP. ¡ Señor ! . . . (*Dudando.*)

SEV. (*A su hijo.*) Es mi voluntad.
¿ Dudas ?

ERN. ¡ Piedad !

SEV. ¡ Sí, piedad !
¡ La que tuvo ella con él !
(*Señalando hacia dentro.*)

ERN. ¡ Ah ! . . . ¡ Que mi sangre se inflama !
¡ Saldré de España !

SEV. No importa.

ERN. ¡ Moriré!

SEV. La vida es corta.

ERN. ¡ Por última vez !

SEV. No; llama. (*A su hijo.*)

ERN. ¡ Que es inocente ! ¡ Lo digo
y lo juro ! . . .

PEP. Padre... (*Como intercediendo.*)

SEV. (*A su hijo, señalando con desprecio á Ernesto.*)
Miente.

ERN. ¿Me arrojas á la corriente?
¡Pues ya no lucho, la sigo!
Qué pensará... no presiento,
(*Señalando á Teodora.*)
del mundo y de tus agravios, 5
que mudos están sus labios,
y duerme su pensamiento.
Pero lo que pienso yo...
eso... ¡lo voy á decir!

SEV. ¡Inútil! No has de impedir 10
que yo mismo...
(*Queriendo aproximarse á Teodora.*)

PEP. (*Conteniéndole.*) Padre...

ERN. ¡No! (*Pausa.*)
Nadie se acerque á esta mujer; es mía. 15
Lo quiso el mundo; yo su fallo acepto.
El la trajo á mis brazos: ¡ven, Teodora!
(*Levantándola y sosteniéndola entre sus brazos en este momento ó en el que el actor crea conveniente.*) 20
¡Tú la arrojas de aquí..! Te obedecemos.

SEV. ¡Al fin!... ¡Infame!

PEP. ¡Miserable!

ERN. Todo.
¡Y ahora tenéis razón! ¡Ahora confieso! 25
¿Queréis pasión?..Pues bien, pasión, ¡delirio!
¿Queréis amor?... Pues bien, ¡amor inmenso!
¿Queréis aún más?... Pues más, ¡si no me [espanto!

¡ Vosotros á inventar ! . . . Yo á recogerlo !
¡ Y contadlo... contadlo !... ¡ La noticia
de la heroica ciudad llene los ecos !
Mas si alguien os pregunta quién ha sido
de esta infamia el infame medianero, 5
respondedle : « ¡ Tú mismo, y lo ignorabas !
¡ Y contigo las lenguas de los necios ! »
Ven, Teodora, la sombra de mi madre
posa en tu frente inmaculada un beso.
¡ Adiós !... ¡ Me pertenece !... ¡ Que en su día 10
á vosotros y á mí nos juzgue el cielo !

FIN DEL DRAMA

# NOTES

# NOTES

## DIÁLOGO

**Page 1.**—Line 1. **¡Nada!** Nothing, Empty dreams. *Nada* comes from Latin, *nata*, born (*res*, understood.) In Spanish it is used as noun, pronoun, adjective or adverb. In lines 6 and 11 of page 2, it is perhaps best to translate it as, empty space or nothingness. In the first place above, it means absence of the power of expression, but not complete absence of thought or ideas, while in the second place it means empty space or nothingness, as expressed also by, *espacio vacío*, in line 7, page 2.

3. **Yo**: the pronoun is here used for emphasis. **A veces**, at times.

7. **carcajadas**, bursts of laughter, impetuous laughter; from Arabic, *cahcaha*, violent laughter.

8. **todo un mundo**, a whole world.

**Page 2.** — Line 6. See page 1, line 1.

17. **Tirándola**, Throwing it aside.

22. **¿y qué?** And what is the use of all this?

25–26. **hasta vencer ó hasta estallarme**, until I win or die.

26. **yo nunca me doy por vencido**, I never give up.

**Page 3.** — Line 9. **tercero** (*piso*, understood), third floor.

**Page 4.** — Line 1. **¿Faltó á la cita?** Did it fail to appear?

3. **en cambio**, however.

13. **¡Qué ha de salir!** Of course not!—**Quien sale . . . yo**, The fact of the matter is that I am going to ruin.

24. **Vamos**, come.—**que**, for, because.

29. **no puede salir á escena**, cannot be represented, cannot be put on the stage.

**Page 5.** — Line 7–8. **que tal cosa afirme . . . cometa,** to affirm such a thing or to be so unfair. **Tamaña,** Latin *tam*, so and *magna*, great.

11. **de que se trata,** in question: cf. French, *de quoi il s'agit.*

11. **no cabría,** could not be contained.

13. **¡Virgen Santísima!** Goodness gracious.

16. **á la moderna,** in modern dress.

17. **¿En suma?** In short? Apparently a double meaning is intended, for in line 18 below, it means, sum, collection.

18. **todo el mundo,** everybody, all mankind.

27. **Yo no entiendo de esas materias,** I know nothing of those affairs.

**Page 6.** — Line 4. **que fuera largo el explicar,** which it would take long to explain.

6. **vengan algunas de ellas,** let us have some of them.

14. **saña,** wrath; from Latin, *sanies*, poison or corrupted blood.

17. **¿Y qué?** And what do you mean by all that?

18. **Que,** That; (I mean that . . . )

**Page 7.** — Line 13. **Algo vislumbro,** I perceive something.

25. **Ya lo creo,** of course, certainly, to be sure.

26. **resorte,** medium, means.

27. **á punto fijo,** for certain, exactly.

**Page 8.** — Line 3. **que para amores felices,** for as to happy love affairs.

15. **eso sí que no,** not that to be sure, of course not.

16. **como que,** since, inasmuch as.

21. **poco á poco,** little by little.

25. **á caza de,** in search for, awaiting for.

**Page 9.** — Line 8. **casi casi:** *casi* means almost or nearly. The repetition is for emphasis. It is rare in Spanish and French, while in Italian it is very much used.

10. **¿Es decir, . . .** So . . . .

12. **Estoy por decir que sí,** I am inclined to say yes.

17. **no vale la pena,** isn't worth the trouble.

19. **Y ahora lo estamcs los dos,** And now we are both convinced.

19–20. **tal maña te has dado,** you have acted so ingeniously, you have so contrived. *Maña* is from Latin *manus*, hand.

22. **Pues ésa es otra . . . ,** There is another difficulty.—**Que,** The fact is that . . .

24. **¡Tampoco!** no title either!

25. **á no ser que,** unless, unless it be that.

27. **Hermógenes:** The reference probably is to a character in *L. F. Moratín's "El Café"* or *"Comedia Nueva" (1792)* who quotes Greek frequently to make himself understood.

**Page 10.**—Line 13. **oiga:** subjunctive of limitation. In Latin such a subjunctive is called a "*Characteristic subjunctive.*"

25. **Y yo decía que sí,** and I said yes. *Que* is thus frequently placed in Spanish before *sí* and *no*, in sentences expressing emotion or strong declaration.

26. **déjate de dramas,** away with your dramas.

**Page 11.**—Line 4. **Eso sí que no será,** That will certainly not be the case: cf. Page 8, Line 14.

23 **Ahí está el problema,** that is the question; cf. *Hamlet III, I. 56. Echegaray* is very fond of *Shakespeare*, and often quotes him in his works.

**Page 12.**—Line 6-7. **y que nadie ... delantera,** and let no one get the start of you; i. e. let no one write the drama before you do.

11. **Asomándose á la puerta,** Looking in from the door.

17. **nada,** nothing at all.

21. **Está visto que todo el mundo se interesa por mí,** It can be clearly seen that everybody (the whole world) has interest for me. *Todo el mundo*, is the character of the drama *Ernesto* wishes to write, as *Don Julián* explains in the next few lines to *Teodora*.—23. **¡Ya lo creo!** of course!

**Page 13.**—Line 14. **hecho una furia,** very angry.

15. **¿Porqué sería?** I wonder why?

21–22. **Diga lo que quiera . . . empresa,** Let Don Julian say what he will, I will not abandon my undertaking.

22. **cobardía,** cowardice; from Latin *cauda*, tail.

**Page 14.** — Line 6. **diablillo cojuelo,** little lame devil. The reference is to *El Diablo Cojuelo (1641)* of *Vélez de Guevara*, a successor of *Lope de Vega*.

7. **Vea:** This and other subjunctives following are used to express wishes or commands.

25. **hasta,** even.

26. **quinqué,** lamp.

27. **la obra inmortal:** *The Divine Comedy;* **inmortal poeta florentino:** *Dante.* — *Dante Alighieri* was born in *Florence* in 1265 and died in *Ravenna* in 1321. *Dante* was the greatest poet of the middle ages and is one of the great poets of all times. He had a very remarkable career in Literature and in Politics. His masterpiece is the *Divina Commedia*, in three parts — the *Inferno*, the *Purgatorio* and the *Paradiso*. *Dante* also wrote *Vita nuova; Il Convito* (The Banquet); *De Monarchia*, containing his political views; *De Agua et Terra*, a work along scientific lines; *De vulgari eloquentia*; also poems, eclogues and letters.

**Page 15.** — Line 2–3. **Francesca y Paolo:** *Dante's Inferno*, Canto V., lines 74–75 and 116–142.

3. **válganme vuestros amores,** may the story of your love come to my aid.

6–7. **El Gran Galeoto:** *Dante's Inferno.* V. 137. "*Galeotto fu il libro e chi lo scrisse*": *Galeotto* was the name of the book which *Paolo* and *Francesca* were reading, when *Paolo* gave her the fatal kiss. It was a book narrating the love of *Lancelot* and Queen *Guinevere*, a story taken from the heroes of the Round Table. **El Gran Galeoto** may be translated as **"The Great Go-between."**

## ACT I.

**Page 16.** — **Es de día,** It is day, i. e. during the day.

1. **¡Hermosa puesta del sol!** What a beautiful sunset!

**Page 17.** — Line 21. **á veces,** at times.

**Page 18.**—Line 15. **esas dos rosas,** those rosy cheeks of yours.

23. **pueden impedirme ser,** can hinder me from being.

**Page 19.**—Line 5. **sí,** rather, indeed.

9. **de viejo,** of old age.

10. **Don Julián de Garagarza,** i.e. Don Julian himself.

11. **Madrid:** capital of *Spain*, is situated on the left bank of the *Manzanares* river; population: 512,150 (1897.)

11. **Cádiz:** fortress and seaport in southwestern Spain. It is one of the most ancient cities of Europe, having been founded in the twelfth century B. C. by the Phenicians who called it Gadir whence the Spanish name is derived. At the time of the discovery of America and during the time of the supremacy of Spain Cádiz had a vast commercial importance; its population now is 70,177 (1897).

20. **algo bueno,** something good.

25. **sepa yo que es ello,** let me know what it is.

**Page 20.**—Line 8. **¿Sí?** Indeed? Is that so?—9. **en,** of.

14. **Todo á su padre,** Exactly like his father.

17. **¡Y sabe!** And he knows so much!

23. **sepa:** Subjunctive after *temo*.

**Page 21.**—Line 10. **Don Juan de Acedo:** father of *Ernesto*.

24. **Gerona:** city in *Spain*, situated on both sides of the river Oñar, 52 miles northeast of *Barcelona*; population 15,668 (1900).

**Page 22.**—Line 1. **lo mío,** what I possess.

4. **cuando menos** = *á lo menos*, at least.

9. **en cuanto á,** as to. **¡vaya!** indeed!

10. **allá veremos,** we will see.

19. **ha poco,** a little while ago, just now.

**Page 23.**—Line 2. **Tal dije,** So I said, that is what I said.

3-4. **¡Pues cabe hacer más de lo que has hecho!** Is it possible to do more than what you have done!

5. **Hace un año vive aquí,** For a year he has been living here.

12. **¿Que no basta?** It is not sufficient?

20. **hasta que allá,** until later.

**Page 24.** — Line 2–4. **y no porque . . . quererle menos,** and not, because they will live far away, are we to forget him, or love him less. *Haber de* is used to express intention or purpose, but not necessarily duty or obligation. *Tener que* conveys the idea of duty or even obligation. **He de verle,** means: It is my definite purpose to see him, it is my will to see him. I am obliged to see him because it is my will and desire, and not on account of obligation outside of my own will. *Tengo que verle,* means: I have to see him, I am obliged to see him. Possibly I would like to avoid seeing him, but I must. *Tener de* was used formerly also, but is now obsolete.

8. **Por lo menos** = *cuando menos,* at least. *Por lo menos, cuando menos, á lo menos* and *á menos,* all mean "at least," but in Spanish they are not always interchangeable.

**Page 25.** — Line 4. **como por hijo de Acedo,** as well as on account of his being a son of *Acedo.*

5. **toda,** every.

14–16. **temo que al fin . . . . á humillación,** I fear my gifts will cause in him a feeling of humiliation.

24. **Vas á ver,** you will see.

**Page 26.** — Line 1. **Bien venido,** welcome.

6. **¿Qué tienes?** what is the matter with you?

12. **¡Desvarío!** Delirium!

16. **Usté:** because of the rhythme. — **¡Dios mío!** goodness!

22. **cuando á los ojos me mira,** when you look in my eyes.

23. **Algo tengo,** Something troubles me.

**Page 27.** — Line 3. **en puridad,** to be clear.

9–10. **es forzoso que piense,** I cannot help thinking.

12. **Sí, sí; que ustedes comprenden,** Yes, yes; of course you know.

14. **limosna,** alms, charity; from Latin, *eleemosyna,* Greek *ἐλεημοσύνη.* — Greek *ἐλεεῖν,* to pity.

19. **pero es así,** but so it is. — 20. See p. 9, l. 25.

23. **ése no eres tú; soy yo,** it is not you; it is I.

**Page 28.** — Line 3. **si cobrase su valor,** if I should ask anything in return for it (*hidalguía*).

7. **para ganarme mi pan,** to earn my own living.

8. **¿ Será esto orgullo, ó manía ?** Is this pride or madness? So expressed by a future tense, when there is an idea of doubt, possibility or admiration.

16. **De modo que,** So that.

**Page 29.** — Line 1. **Es su noble afán,** That is his noble solicitude.

9. **¡ Si no vive en este mundo!** Why, he doesn't live in this world! **Si**, is here used to express wonder, or for emphasis.

**Page 30.** — Line 2. **que,** for, since.

20. **¿ qué tiene que ver todo eso ?** what has that to do?

25. **la Castellana,** sc. *Paseo de la Castellana*, much frequented avenue in Madrid.

**Page 31.** — Line 1. **al ir á su palco al Real,** on going to your box at the Royal Theatre.

2. **dehesa,** park, hunting grounds; from Latin *defensa*, protected, guarded (i. e., ground.)

4. **de diario,** every day, daily.

9. **¿ Será su deudo ?** Can it be their relative? Is it their relative? — **¡ No tal !** Indeed not!

10. **Tampoco,** Not that either.

28. **Conque,** well, so.

**Page 32.** — Line 1. **á ver,** let us see.

4. **severo,** severe. It has here a double meaning, cf. Don Julian's brother, above.

13–14. **cuanto . . . más,** the more . . . the more.

**Page 33.** — Line 2. **la que no había,** that which did not exist.

16. **no entiendo ni jota,** I don't understand a thing (of what you say.)

18. **ó mejor dicho,** or rather.

**Page 34.** — Line 16. **de balde,** gratis.

19. **has de ganar,** you will earn.

**Page 35.** — Line 17. **de que hace alarde,** of which he boasts, i. e. about the knowledge of which he boasts.

26. **¡Calla, por Dios!** For goodness' sake, stop!

**Page 36.** — Line 2. **¿cómo pagarle, Dios mío?** mercy, how can I pay him (for his kindness)?

6. **Dando de mano al,** doing away with; **i.** e. by withdrawing from your mind all ideas about pride and distrust.

**Page 37.** — Line 2. **De hoy más,** after to-day.

16. **hacer alardes:** see above, p. 35, l. 17. Read in the following order: **no gusto (de) hacer alardes de amor.**

17. **yo sé,** I know how to. *Saber* must be frequently rendered in English not simply by 'to know,' but by 'to know how,' especially before an infinitive.

**Page 38.** — Line 7. **Si:** see p. 29, l. 9.

10. **mañas,** contrivances, tricks, evil habits.

14. **es ya caso de conciencia,** it is now a question of duty, i. e. to reveal it to *Don Julián.*

17. **hoy mismo,** this very day.

20. **¡voto á san!** I'll swear it is! or, To be sure! *San* is an abreviation for *Santo* (saint), often used alone in exclamations.

**Page 39.** — Line 1. **¡vive Cristo!** Upon my word! By my honor!

3. **¡Eh Teodora!** Teodora!

7. **¿No se come?** Aren't we going to eat?

**Page 40.** — Line 6–7. **¿conque estaba usted aquí, con Teodora, cuando entré?** so you were here with Teodora, when I entered, were you?

9. **por lo visto,** as you can see.

10–11. **Por lo visto, . . . . no se ve,** Goodness no! how can a person see in the darkness.

17. **De niño y de enamorado se llora sólo,** it is only the child and the lover that weep.

23. **harta,** great.

24. **me saca éste de mi centro,** this fellow drives me crazy.

27. **Tiempo de sobra,** more time than is necessary.

28. **manos á la obra,** to the work.

**Page 41.** — Line 5. **¡Por mi vida!** Well, I declare!

10. **Ni tampoco á Pepito,** Nor *Pepito* either.

12–13. **Está solito allá arriba,** He is all alone, up stairs.

14. **Que lo esté,** Let him be alone, i. e. what difference does it make, if he is all alone?

22. **Como no se marche ese . . . . ,** If he doesn't go.

**Page 42.** — Line 5. **Haz porque nos deje presto,** see that he leave us soon.

6. **Si tú te empeñas,** If you insist.

9. **Con mil amores,** with the greatest pleasure.

10–11. **Con uno y sobra,** just do it willingly. Lit.: one (*amor*) is more than necessary.

16. **No tal,** not in the least, no indeed.

24. **¡Por Dios!** Goodness!

**Page 43.** — Line 16. **¡Ganas dan!** I have a mind to!

17. **Pero no cierro la mano.** But I will not be silent about it.

18. **que,** for, since.

23–24. **de suerte que,** so that.

**Page 44.** — Line 4. **Brindo:** *brindar* means to offer willingly or to cause one to ask for. Here translate, "I give you willingly." The Spanish comes perhaps from the German, "*bringen*," to bring, to carry, to offer; cf., Italian *brindisi*, health: from the German *Bring dir sie*.

7. **acudimos,** we have recourse.

9. **de una vez,** quickly, all at once.

13. **De aquí no puedo pasar,** It can go no further than this.

25. **Madrid:** Capital of Spain. See p. 19, l. 11.

**Page 45.** — Line 18. **¿Quién ha de ser? Tu marido** Your husband, of course. *¿Quién ha de ser?* Who else could it be?

23. **al alcance de su mano** within reach.

**Page 46.** — Line 1. **parecer,** opinion.

5. **¿Conque te pesa?** So you are sorry, are you?

17. **infame:** refers to *Ernesto*, — 18. **dama:** refers to *Teodora*.

**Page 47.** Line 19. **¡Pobrecilla, me enternece!** Poor little one, I am sorry for her!

23–28. **¡Si no es miedo .... ¿él acaso? ..** It is not fear, nor is it fright: no tears are there in my eyes: fire alone inflames them; from whom did you hear what I have just heard? who is the man you are talking about? It is ... ! He perchance?

**Page 48.**—Line 10. **¡Maldito** (*sea*) ...., cursed be ...
14. **maldita**: here refers to "*idea*," line 11.
18. **¡Jesús!** Oh heavens!
28. **! De modo que ya, Dios mío...** Dear me, so already ....

**Page 49.**—Line 10. **¡Ay, Julián del corazón!** Alas, my dear Julian!
15. **Si**, why, to be sure. See also. p. 29, l. 9.
20. **ciento, cien**: *ciento*, meaning one hundred drops the *to* before *mil* or before a noun. Here, "*personas*" is understood, after *cien*.
26. **abriles** = *años*, years.
27. **en su cuarentana**, in his fortieth year.

**Page 50.**—Line 7. **Real**: see. p. 31, l. 1.
10. **en justicia y en razón**, looking at it rightly.

**Page 51.**—Line 1. **¡Ay de mí!** Alas for me!
8. **¡Basta!** enough!
9. **¡Dios mío!** Heavens!
10. (*Digo*) **¡Que me dejes!** I say leave me!

**Page 52.**—Lines 10–11. **Pase por primera vez, y, ¡vive Dios!, que es pasar;** For a first time let it pass, and, upon my honor! it is a case of letting it pass.
16. **que no pasa, si tal pasa**, that if such a thing happens. I'll not allow it to pass ('unpunished' understood).

**Page 53.**—Line. 6. **Pues lo serán**, perhaps they are.
12–13. **No es modo ni manera de que acabe**, there is no need whatever in your finishing.
14. **No tienes razón**, you are not right, i. e., you are mistaken.
15–17. **Razón, y de sobra. Fuera bueno que**, Right, I am more than right. It would be necessary for you too.

**Page 54.** — Line 10. **¿ Si será lo que temí?** I wonder if it isn't the very thing I feared?

**Page 55.** — Line 6. **¿Qué tiene Teodora?** what ails Teodora?

12. **No te ocupes de mi esposa,** never mind my wife.

18. **Loco de atar,** stark crazy, mad.

22–23. **toma, toma, ¡que me quería matar!** I'll be hanged if he didn't want to kill me!

**Page 56.** — Line 10. **hizo carrera de mí,** my father did not succeed in ever bringing me to reason.

13. **vamos, que no me sujeto á vegetar,** Indeed, I don't care to lead a useless life.

16. **Colón:** Christopher Columbus. (1435–1506.)

23–24. **¿Conque sientes comezón de mundos y de viajar?** So you have a desire to know the world and to travel, have you? *Conque* here emphasizes the question and puts in it a tinge of surprise and incredulity. *Comezón (comer)* means itching, ardent desire.

25. **conque,** so. See above l. 24.

**Page 57.** — Line 9. **ello ha de ser,** it needs must be.

12. **quizá no les vuelva á ver,** perhaps I'll never see you again.

28. **las cosas bien miradas,** looking at things rightly.

**Page 58.** — Line 5. **no quiero que me hables más,** I don't want you to speak to me again.

13. **aun,** even. Before a verb it has no accent, and *au* is a diphthong; after the verb, however, the *u* is accented "aún" and the word has two syllables.

18. **que,** for, since. — 21. **no puedo** (*quedarme*).

**Page 59.** — Line 12. **¡por Belcebú!** the devil!

22. **á mí se me da un ardite,** I don't care a whit. *Ardite* was a very small coin used in *Castile.* It comes from the French: *hardi*, English: *farthing.*

28. **los que nos traen entre manos,** those who are meddling with us.

**Page 60.** — Line 4. **Cada cual siga su suerte,** Let each follow his own path.

**Page 61.** — Line 3. **¿Se hablan bajo?** Are they talking to each other in a low voice?

6. **pero presumo que sí,** but I suppose they are.

## ACT II

**La Divina Commedia,** etc., see p. 14, l. 27, and p. 15, ll. 2–3.

**Page 62.** — Line 1. **¿No está el señor?** Is the master at home?

**Page 63.** — Line 6. **ninguno,** anyone; also in next line.

13–14. **¡Que pobreza, dirás mejor!** You mean what poverty!

15. **¡vaya un cuarto!** Here's a fine room for you! cf. the colloquial expression, talk about your rooms!

**Page 64.** — Line 7. **quien yo me sé,** one whom I know.

22. **boato,** ostentation, pompous show; from Latin "*boatus*," cry, confusion.

27–28. **y hasta olvidado lo tengo,** and I have even forgotten it.

**Page 65.** — Line 23. **zaquizamí,** small room; from Arabic, *cacfiçamé*, the plank of a roof.

**Page 66.** — Line 1–2. **Y** (*si*) **de las honras ajenas no se llevasen pedazos, al resolver de sus lenguas,** and if they wouldn't submit the honor of others to idle talk (lenguas).

9–14. Read as follows: — **Ver á un mancebo gallardo junta á una joven hermosa, en mi mesa, ó en paseo, ó en teatro, ¿es** (*esto*) **suficiente para suponer infamias, y para aventar escándalos?**

20. **ó tal estamos,** or are conditions such.

25. **¿que falta me hacen los necios?** what need have I of fools?

**Page 67.** — Line 5. **que soy tu sangre,** I, who am your blood.

7. **¿debí callar?** was it my duty to be silent, or ought I to have been silent.

8. **¡No, por Dios!** No, for godness' sake!

9. **pero debiste ser cauto,** but you ought to have been more cautious, careful.

18. **entre el mundo y yo lo hicimos,** the world and I have brought it about.

24. **lo que es tú,** as for you.

26. **conque,** so.

27. **ensancha tu pecho hidalgo,** assume an air of dignity. **Hidalgo,** noble, comes from *hijo de algo*, son of somebody (something); hence the meaning, noble, illustrious.

**Page 68.** — Line 6. **á voz en cuello,** in a loud voice.

7. **por lo bajo,** in a low voice, or cautiously.

10. **de modo que,** so that.

13. **en tanto,** likewise.

**Page 69.** — Line 4. **franco,** open.

5. **la salida,** the way out, i. e. on his going out; or when he goes out.

6. **en pasando,** after he has gone, i. e. *Ernesto.*

12. **por lo bajo,** in a low voice. See p. 68, l. 7.

22. **esposa de pocos años,** young wife.

25. **¡No hables tal de mi Teodora!** Don't speak of my Teodora in that manner!

**Page 70.** — Line 2. **airado,** angry.

11. **Mejor que mejor,** So much the better.

12. **No así,** not so.

20. **huraño,** sly, diffident, cold-hearted; from *hurón*, ferret.

**Page 71.** — Line 4. **se va alzando,** is beginning to rise.

15. **de,** as.

23. **de ella dudando,** if I doubt her honesty.

**Page 72.** — Line 12. **toda,** every, all. **es llano,** to be sure.

16. **sin que pueda remediarlo,** without my being able to remedy it.

22. **¡pero si no nos amamos!** why, we don't love each other!

**Page 73.** — Line 3. **Buenos Aires:** capital of the *Argentine*

*Republic*, situated on the right bank of the *Río de la Plata*, a cosmopolitan city of 836,381 inhabitants (1901).

4. **pues ni de encargo,** just what we want. cf. *ni loco*, you act like a crazy person; or, a crazy person wouldn't do that. Also, *ya tú sí, ni loco*, you act just like a crazy man. This is often shortened to merely, *ya tú sí*, you are a fine one.

21. **no más,** only.

**Page 74.** — Line 11. **¿Tú por aquí?** you in these places?

12-13. **¡Toma . . . . me he lucido,** Well, they have now discovered it, I have made a fool of myself.

20–21. **¿Conque ustedes . . . . á Ernesto?** So you, of course, are looking for *Ernesto?*

**Page 75.** — 1–2. **¿y tú . . . . ese loco?** And are you aware of what that lunatic intends to do?

14. **Ayer noche,** last night. **padrino,** witness, second (in the duel).

16. **Conque si él no acierta,** So, if he doesn't know.

17. **¡Miran ustedes de un modo!** what makes you appear so surprised? Very often an exclamation, is better translated into English by putting it in the form of a question.

25. **se juega la vida,** his life is at stake.

**Page 76.** — Line 14. **Sí tal,** yes, that's it.

23. **¡Que tú mientes! ¡Que yo miento!** You are a liar! I am a liar?

**Page 77.** — Line 3. **¿no te enteraste?** Didn't you find out what was the trouble?

5–6. **dió al traste con su paciencia,** lost his patience, i. e. could not control his anger.

10. **Si te dije yo,** well did I tell you.

23. **¡Pues á muerte!** a matter of life and death.

**Page 78.** —Line 1. **espadachín,** bully, hackster. *Espadachín* also means: a skilful swordsman.

4. **Si casi no hubo disputa,** There was hardly any fight at all.

10. **por si,** to see if. — **Cid,** name of steamer. The *Cid* was a national Spanish hero, who lived in the eleventh century. His full

name is, *Don Rodrigo Díaz del Bivar*, and was known as *El Cid Campeador*, He is made immortal by national songs, mostly fictitious in character. He appears in *De Castro's "Hazaños del Cid"* and in *Corneille's "Le Cid"* (1636).

11. **Cádiz**: see p. 19, l. 11.

23. **tijera**, slander, murmuring.

24. **sin reparar en**, without taking notice of.

**Page 79.** — Line 2–3. **¡Allí se pasó revista á todo bicho viviente!** Every living soul was mentioned there!

4. **cotarro**, beggar's chamber, assembly of beggars.

6. **ojén**, wine from *Ojén*.

8. **alguno que otro** = *uno que otro*, a few, some.

13. **añejo**, old wine.

14. **tira de pellejo**, pinch.

18. **hechas añicos** = *hechas pedazos*, broken to pieces, trodden under foot, shattered.

**Page 80.** — Line 3. **no pudo más**, could stand it no longer.

14. **hoy es el duelo**, the duel will take place today. — **y á espada**, and it will be a fight with swords.

17. **el hombre**; refers to line 2, above.

20–21. **¡Donde fueron á caer ella, mi nombre y mi amor!** What an abyss it is, wherein they have fallen, she, my name and my love!

**Page 81.** — Line 4. **que**: here used as expletive; do not translate it. — **alma**, courage.

13. **¿Cuento contigo Severo?** Can I rely on you, Severo?

14. **¿Si cuentas?** Rely on me?

16. **¿El duelo (á que horas será)?** when will the duel take place? or: At what hour does the duel take place?

22. **¿Tratas por ventura?** ... Is it your intention perhaps? ...

24. **de hacer**, to do.

26–27. **y de salvarle la vida al hijo de Juan Acedo**, and to save the life of Juan Acedo's son.

**Page 82.** — Line 1. **padrinos**, seconds, witnesses. *Padrinos* also means, *padrino y madrina*, the godfather and godmother or the sponsors at a wedding, baptism etc.

4. **por si,** so if, in case.

13. **¿qué tienes?** what is the matter with you?

15. **ha mucho,** for a long time.

17. **¡Que diablo, no estás en ti!** Gracious, you are not in your senses!

**Page 83.** —Line 2. **¡por Belcebú!** the devil!

7. **¡vaya un enredo!** there is muddle for you?

10. **por más que,** however much, whatever.

14. **guapo,** gallant, brave, lively, good looking.

**Page 84.** —Line 1. **hermanazgos,** brotherly affections, brotherly confidences.

9. **juntitos,** together. The diminutive ending emphazises the adjective in this case.

14–16. **"Que no", me juraba Ernesto; que casi nunca han salido de ese modo,** No, swore Ernesto; hardly ever have they gone out in that manner.

**Page 85.** —Line 6. **Otra** (*vez*) **yo,** another time, I saw them.

7. **de fijo,** to be sure.

16. **Que él se ocupe de lo suyo,** Let him mind his own affairs.

21. **y cuidado, que concedo,** And be careful, for I grant.

24. **á mis solas cavilo,** to myself I think, or I really do think.

26. **risco,** without life, dead; a stone, cliff.

27. **será,** might be, is perhaps.

**Page 86.** —Line 3. **corpo di bacco;** Italian expression for body of *Bacchus*. **Y basta corpo di bacco para cuerpo de delito,** and a divine form is sufficient proof of guilt.

14. **pendant haciendo á mi tío,** making a group with my

uncle; harmoniously grouped with *Don Julian's* picture. It is taken from the French expression, *faire pendant*, to agree, to make a harmonious pair or group. cf.: "*ces deux tableaux font pendant*," these two portraits make a group.

**Page 87.** — Lines 3, 8, 12. **Dante, Divina Comedia, Francesca:** See p. 14. l. 27, and p. 15, l. 2–3.

19. **¡Señor . . .!** Gracious . . . !

21. **¡y qué difícil es!** and how hard it is!

**Page 88.** — Line 1. **¿Qué estás mirando?** what are you looking at?

8. **Tú sabrás,** I suppose you know it.

12. **consonante á Teodora,** a rhyme for the word *Teodora.*

13. **cualquier cosa,** trifles.

**Page 89.** — Line 4. **el libro del maestro;** *Dante's Divine Comedy.*

6, **No hay que hablar,** There is no use in talking.

8. **Episodio de Francesca:** *Dante's Inferno, Canto V.* The episode of *Paolo* and *Francesca*, has been a favorite subject with Italian writers perhaps no more beautifully treated than in that sublime tragedy of *Silvio Pellico*, "*Francesca da Rimini.*"

11. **Hoy estás para acertar,** you seem to be in a knowing mood to-day.

18. **diz** = *dicen* or *se dice.*

21. **zote,** a fool, a stupid person.

22. **Lanzarote:** hero of the Round Table.

23. **Ginebra:** heroine of the Round Table and loved by Lanzarote.

**Page 90.** — Line 1. **el poeta florentino:** *Dante.*

8. **y que no leyeron más,** and that they read no more. i. e. *Paolo* and *Francesca.*

7–8. **"que Galeoto el libro fué y que no leyeron más."** cf. *Dante's Inferno.* V. 137–138. "*Galeotto fu il libro e chi lo scrisse. Quel giorno più non vi leggemmo avante.*"

17. insert "*que*" before **tanta.** — 25. **sobre todo,** especially.

27. **alboroto,** fight, row, trouble.

**Page 91.** — Line 9. **brete,** great difficulty.

10. **hacer que diga . . . y concrete,** to make me say and clearly state.

18. **toda la masa social,** the whole social mass. c. f. "*todo el mundo.*" p. 5, l. 18.

23. **pero tal maña se da,** but so cunningly does it work.

**Page 92.** — Line 4. **á maravilla,** in fine shape, at ease, well.

5. **la heroica villa:** Madrid.

6. **¡vive Dios!** I assure you!

10. **ó por terca ó por villana,** either on account of stubbornness or meanness.

16. **que les convenza,** that can convince them.

**Page 93.** — Line 7–9. **¡Vete, vete, pensamiento de Satán, que tu fuego me devora!** Away from me, ye evil thought, for thy fire devoures me!

12. **¡Dios proteja á Don Julián!** may heaven protect Don Julian!

15. **los versos de anoche,** those verses of last night.

23. **en rigor,** to be sure.

25. **mucho hombre,** a man of courage.

28. **una parada en tercera,** a third parade. In fencing the parade is moving the sword over from the guard, down to the right and opposing inside of foil to adversary's blade.

**Page 94.** — Line 1. **que exprimirte la mollera,** rather than to waste your energies. *Mollera,* means the top or crown of the head.

16. **hoy mismo,** this very day.

19. **¿Vais á las afueras?** Are you going outside of the city limits?

21. **á tal hora,** at that hour.

**Page 95.** — Line 2. **luz de costado,** light from the sides, **i. e.** through a side window.

3. **Sin que nadie lo perciba,** which no one can see.

5. **que se trata,** in question.

11. **padrinos:** See p. 75, l. 14.

12. **Podrá ser,** Possibly it is they.

22. **¿ Pide ?** what does she want?

**Page 96.** — Line 3. **en rigor,** really.

8. **la cara,** her face. The article is thus very frequently used in Spanish for the pronoun. So used in French and German.

9. **ya . . . ya,** both . . . and: or, now . . . now . , . now.

10. **tan bajo, tan bajo,** in a voice so very low.

12. **¿ Quién será ?** who can it be? The future tense here expresses curiosity and astonishment. It is very frequently used so in Spanish.

16. **Oye, á tus anchas te dejo,** Say, I leave you at your ease. The expression, "*á tus anchas*" is more frequently used with reference to bodily rest.

21, (*Espero*) **Que mande el señor que pase,** I am waiting for the gentleman to command her to come in.

25. **la tapada,** the covered one. i. e. *Teodora.*

28. **¿ Conque la digo que sí ?** So, I'll tell her yes, shall I? *La* is here used for the dative form *le.* This use has not the sanction of the best grammarians, but is nevertheless, very much used by Spanish writers, both in *Europe* and *America*. *Pérez Galdós*, *Palacio Valdés*, *Moratín* and our author use it continually, though they also use the form "*le.*" *Rafael Guadalajara*, a Mexican novelist of note, uses the form "*la*" almost exclusively as a dative feminine pronoun.

**Page 97.** — Line 12. **si usted se digna,** will you kindly (pass in).

18–19. Read as follows: . . . **porque yo ignoro á que debí tal honra.**

20, **¡ Ay de mí !** Alas!

21. **si,** to be sure.

**Page 98.** — Line 1. **ha de hallar respeto tal,** must find such respect.

6. **y un tiempo ha sido,** and a time there was.

11. **de usted cogida,** accompanied by you.

19. **no han de volver,** will return no more.

21. **ante Julián,** before Julian i. e. in the presence of Julian.

**Page 99.** — Line 4. **Ya no podemos querernos,** We can love each other no more.

13. **¿ Tal dije ?** Did I say that ?

16. **No haga usted caso de mí,** Don't have the least care about me.

18–19. **y (si) mi vida ha menester, mi vida, Teodora, pida,** and if you have need of my life, ask for it, Teodora.

**Page 100.** — Line 8. **razón tiene usted en esto,** you are right in this.

13. **hay nadie que le condene,** is there any one who can condemn you.

26. **lo que me pone en un potro,** the thing that drives me crazy.

27. **por Dios vivo,** by the living God.

**Page 101.** — Lines 2–3. **que exista un hombre que dude de una mujer como usted,** that there exists a man who can doubt of a woman such as you.

**Page 102.** — Line 9. **y tú le das la razón,** and you say it is right in so doing.

11. **Las dos apenas,** hardly two o'clock.

12. **¿ Serán?** I wonder if it is they.

**Page 103.** — Line 2. **No hay que dudar,** Don't fear.

6. **Por Dios,** For heaven's sake.

18. **para evitarle,** so it would not take place, to prevent it.

19. **¿ De modo ?** So that . . . ?

**Page 104.** — Lines 1–2. **hasta que arranque la vida yo por mi mano al Vizconde,** until I myself take the viscount's life.

10. **conmigo lo puede todo,** I am entirely in your power.

12–14. **¡ Ha de lograr que yo sienta, recordando aquella afrenta, por Nebreda compasión !** Never will you see me feel compassion for *Nebreda*, when I remember the insult. In the

Spanish the exclamation is expressed affirmatively, but ironically; hence we translate into English in the negative form.

28. **esto corre de mi cuenta,** I do this at my own risk.

**Page 105.** — Line 2. **pues,** so.

6. **¿y bien?** And what about him?

7. **¡Si lo sabe!** If he should know it!

20. **¿Qué por qué á ese duelo voy?** (they ask) why do I go to that duel?

21. **¿Qué por qué la defendí?** why I defended her?

26. **¿no estaba yo?** Was'nt I there?

**Page 106.** — Line 12. **Sí á fe,** yes indeed.

**Page 107.** — Line 3–5. **Si en lo que hayan de decir hay que pensar para todo, ¡vive Dios! que ya no hay modo ni manera de vivir,** If one always had to think of all that people will say, by my life! there is no use whatever in living.

10. **¡Yo se lo suplico!** I beg it of you!

12. **bien mirado,** looking into it carefully.

13–16. **más vale que . . . . . acuda yo,** it is better . . . . . for me to meet *Nebreda.*

18–19. **lo que le falta de honrado, le sobra de espadachín,** for though he be a man without honor, he is a skillful swordsman. Litterally: what he lacks in honor, he makes up in that he plays well the sword.

**Page 108.** — Line 1. **coraje,** courage, valor. Cf. French, *courage.*

14. **¡Eso no! . . . ¡Tampoco!** Not that either!

16. **Nadie pierde,** No one loses anything.

19. **¡. . . por Dios! . . .** for goodness' sake!

22–23. **en pos de,** after, in search of. Here it is better to omit it entirely.

27. **estuve rezando,** I prayed fervently.

**Page 109.** — Line 1. **¡Yo no quiero que usted muera!** I don't want you to die!

11. **si ya lo dije hace rato,** I told you a little while ago. *Si* is here used for emphasis.

18. **¡ Gente ha venido!** Some one has come!

26. **Si no es su marido,** Never mind, it is not your husband. The use of "*si*" in Spanish is so frequent and various in its meaning, as to be almost too large a subject for treatment. There is no limit in its use, in idioms. In the above sentence Ernesto wishes to remove all fear from *Teodora*. Cf. *¡ Me hallé mil pesos! . . . . . Si no,* I found a thousand dollars! . . . No, I didn't.

**Page 110.** Line 5. **Renuncie usted ese duelo,** Give up that duel.

6–7. **Si he llegado ¡ vive el cielo! á su rostro,** By my life! already, I have struck him in the face.

12. **¡ Que huya yo!** Fly, you say!

13. **¡ por Dios vivo!** for heaven's sake!

17. **Una palabra no más,** only a word.

**Page 111.** — Line 3. **¡ Vete al infierno!** You go to the devil!

5. **¿ Qué pasa?** what is the trouble?

9. **¡ La cabeza me da vueltas!** My head whirls.

10. **¡ Jesús! ¡ Jesús! ¡ quién pensara!** Goodness! Goodness! who would think — .

13. **Supo,** found out about, was informed about. The perfect tense of "saber" always carries the meaning of finding out, hearing or the like; he knew would be "*sabía.*"

15. **no estabas,** you were not here.

17. **y todos juntos** (*se fueron*), and they all hastened.

21. **¡ Vaya en gracia!** That is certainly a fine question!

**Page 112.** — Line 1–3. **que era tromba . . . todo,** who led them all on by the nose, nolens, volens. *Tromba* means nozzle, water spout.

16. **no hubo medio,** there was no way out of it.

17. **pues los dos,** well, then both of you.

25–26. **Mejor, á mí por entero la jornada** So much the better, I'll have the whole work of the day myself,

**Page 113.** — Line 2. **¿ y se han batido?** And did they fight?

3. **¡ Con rabia!** Just as if they were mad! or Furiously!

.3. **¡ Jesús me valga!** Help me Heaven!

**Page 114.** — Line 1. **¡Maldito yo!** Wretched that I am!
12. **No lo has menester,** You have no need of it.
18. **¡Vamos á entrar!** Let us enter!
22. **acabarlo de matar,** kill him outright.

**Page 115.** — Line 12. **¡Aparta!** Step aside! **¡se muere!** he is dying!
17. **¡Yo tampoco!** Neither do I.
20. **¡Ha de ser!** It needs must be!
23. **¡Jesús!** Heavens!

## ACT III

**Page 117. Es de noche,** It is night.
2. **no se oye nada,** nothing can be heard.
4-5. Read: **Su existencia está en el fiel de la balanza,** His life hangs in the needle of the balance.
11. **¡Diablo! que me voy volviendo,** The deuce! I am becoming.
15. **¡Qué! ¡si tengo la cabeza hecha toda un panorama,** I'll declare, my head hums with a complete panorama.

**Page 118.** — Line 4. **¡Jesús, qué dia!** Gracious, what a day!
10. **¡Pero vaya!** But how could it be otherwise?
23. **¿Y Severo?** And where is Severo?

**Page 119.** — Line 7. **¿y tu tío?** And how is your uncle?
16. **tenaz:** strictly speaking, an adjective going with the subject. Translate here as adverb with "*fija.*"
21. **atento:** See above. p. 119. l. 16.
22. **ella y él:** i. e. *Teodora* and *Ernesto.*

**Page 120.** — Line 18. **Quiera Dios no los encuentre,** may he not meet them.
20-21. **disipa . . . ataja:** translate by a future tense in English.
24. **pero con un genio. ¡vaya!** but he has an awful temper.
25. **Eso sí,** Yes, to be sure, but.

**Page 121.** — Line 1. **salvo el respeto debido,** speaking with due respect.

2. **Siempre con razón sobrada,** Always for good reason.

4. **pero esta vez no le falta,** but he is certainly in the right this time.

8. **¡Una Magdalena!** Weeping like a Magdalen!

12. **¡Si es una niña!** She is only a child.

13–16. **Que mata, . . . . á don Julián,** She kills Don Julian, she, so innocent and candid, so sweet, pure and meek.

16–17. **De manera que si vale tu palabra,** So, if your word is worth anything.

22. **casi,** hardly.

23–25. **Tu amiguito, . . . . . ¡el infame!** That dear friend of yours, the dramatist, the poet, the dreamer, the rascal.

27. **Si no lo niego,** I don't deny it at all.

**Page 122.** — Line 6. **Pero, ¿la tiene?** Has he a conscience?

19. **¡y él se atreve!** And he dares —.

20. **¡Es osadía que pasma!** His audacity is something shocking.

**Page 123.** — Line 2. **Ya salgo,** I'll soon be back again.

5. **¿Qué hacer?** What must we do?

6. **Que pase,** Let him enter. — **sin que nadie se vuelva á saludarle,** and no one salute him.

14. **que,** for.

19. **¿Que salga acaso?** To depart perhaps?

20. **¡Jesús, qué idea!** Oh, no, what an idea

**Page 124.** — Line 7. **¿Tu diestra?** Is that true?

15. **en pie,** standing.

16. **¡Qué diablo! tiras bien,** The devil! you are quite skilful; i. e. with the sword.

20. **por piedad,** for pity's sake.

**Page 125.** — Line 8. **soy como quieren los demás que sea,** I am as others wish me to be.

11–12. **cuando á un hombre cual yo se le atropella y sin**

**razón se le declara infame,** when a man such as I am is insulted and is unjustly called an infamous scoundrel.

27. **¿ Pero de veras ?** Is that true ?

**Page 126.** — Line 2. **¿Será verdad ?** Can it be true ? — **¿ será verdad, Diós mío ?** Oh, my God, is it true ?

3–5. **¡ Que se salve, Señor ! . . . . ¡ que yo le vea !** May he live ! I don't want him to die. May he be happy again ! Let him pardon me ! Let him embrace me again ! Let me see him !

12. **¡ Que un hombre llanto vierta !** A man crying ! can that be possìble ?

24. **¡ Por eso lloro !** That's why I cry.

25. **¡ ay Dios !** Oh Heavens !

28. **¡ Silencio por piedad!** Silence for goodness' sake !

**Page 127.** — Line 3–4. **¿ por qué nosotros no hemos de hablar también ?** Why must we be silent ?

13. **Más bajo, Ernesto,** Don't talk so loud, Ernesto.

14–15. **¡ No : si ya son voces .,. . ! si el aire atruenan !** They are real voices now, they are not murmurs at all ; already they fill the air.

16. **Ya nadie ignora,** No longer is any one ignorant of.

17. **cada cual,** every one.

23. **Los unos,** some. — 27. **los otros,** others.

27. **por lo visto,** of course.

**Page 128.** — Line 2. **¡ un duelo en regla !** a duel according to rules ; i. e. a loyal fight.

10. **volcán,** volcano. From *Vulcan*, god of fire.

23. **en ella estaba,** she was there.

**Page 129.** — Line 1. **lo difícil, Ernesto, es que la crean,** the difficult thing about it is, will people believe it ?

7. **en cambio,** on the other hand.

9. **como,** if.

10. **Y bien tienes razón,** and you are indeed right.

11. **ni,** or.

12–14. **¡ Lo horrible es que se mancha el pensamiento al ruin contacto de la ruin idea !** The terrible thing about it is, that the thought becomes degraded at the wicked contact wi... ... wicked idea.

19. **¡ Esto sí!** This indeed is true.

27. **sólo por mentir,** only because he lied.

**Page 130.** — Line 5. **Lo que hay en puridad es que confiesa,** He confesses, that is all.

12–13. **¿Pero si llega Severo, y si le ve?** But what, if Severo comes and sees you there?

14. **¿Y que me importa?** What do I care?

15. **¡que venga!** Let him come!

17. **y no es fácil que yo ni huya ni tema,** I am not of those who fly or fear.

24–25. **para pedirle que me perdone,** to ask him to forgive me.

**Page 131.** — Line 3. **pero, ¿vernos? jamás: ya no es posible,** but to see each other again, never: that is no longer possible.

6. **á solas,** alone.

9–11. Read: — **Y mis palabras le han de hacer mella, lo sé de sobra,** And my words will impress her, I am sure. *Lo sé de sobra*, I more than know it, or, I know it only too well.

17. **pongamos mi plan por obra,** Let us put my plan to work

**Page 132.** — Line 2. **¿Eres tú?** Is it you?

5. **Con llorar, ¿qué se consigue?** what is the use of crying?

10. **Ya lo creo,** of course.

11. **¡Mi vida! por él, Dios mío!** God knows, gladly would I give my life for his!

21. **¡ay de mí!** Indeed.

**Page 133.** — Line 6. **lo del,** the story of.

7. **Yo te agradezco ese celo,** I am grateful to you for your interest.

24. **Pienso que estaba de más,** I think it was not necessary.

28. **famoso espadachín,** a skilful swordsman.

**Page 134.** — Line 9. **¿Y fué Ernesto?** And was it Ernesto who killed him?

12. **Frente á frente,** face to face.

22. **¡Bien lo sabes!** You know it very well.

**Page 135.** — Line 1-2. **¿Pero tú lo has de saber mejor que yo misma?** Do you pretend to know it better than I?

4-5. **cuando mucho el alma admira, va camino del querer,** to admire is to love.

19-20. **¿Por quién ha de ser? Por Julián,** For Julian, of course.

23. **á la par,** side by side.

24. **¡Calla, por Dios!....¡por piedad!** For mercy's sake be silent!

**Page 136.** — Line 12. **¡Si yo quiero como quise!** Indeed. I love Julian as much as I ever did!

13, 19. **Si,** indeed, why. See also p. 29. l. 9.

27-28. **¿Y porque á Julián adore he de aborrecer ingrata,** And because I adore Julian, must I ungratefully abhorr,...

**Page 137.** — Line 4. **¡Jesús me valga!** Heaven protect me!

11. **¿seré lo que dicen todos?** Can it be that, what people say of me is true? The future tense here denotes doubt, probability, wonder. See also p. 28. l. 8., p. 54. l. 10., p. 95. l. 12, p. 126. l. 2.

19. **¿Luego me dices verdad?** So you are telling the truth, are you?

28. **¿Es esto serlo de veras?** Is this really being so? Am I really so?

**Page 138.** — Line 16. **¡Jesús mil veces!** For goodness' sake!

18. **tan sólo digo,** I only say. *Tan* is here used expletively, to add emphasis to "*sólo.*"

20. **¿El á mí?** You say he loves me?

22. **Hace poco,** a short time ago.

27. **¡Que confesó de plano!** He made an open confession.

**Page 139.** — Line 6. **estoy en ascuas,** I feel uneasy.

7. **por si,** lest.

14. **¡será verdad tanta infamia!** Can so much infamy be true?

25. **¡Virgen santa!** Goodness!

27. **¡que se aleje de esta casa!** see to it that he leaves this house.

**Page 140.**—Line 10. **¡No he de verle!** I will not see him! *Haber de* generally expresses a purpose, while *tener que* generally expresses an obligation.

**Page 141.**—Line 9. **Que saliese fué el mandato,** The command was, that I should leave.

16. **cumplo ..... acato:** translate by future in English.

18–19. **¡Los demás no hallarán modo de obediencia, aunque les pese!** The others will not be obeyed, however much it may grieve them.

**Page 142.**—Line 16. **á mi pesar,** in spite of myself.

**Page 143.**—Line 2. **tez,** countenance, face; from latin *tegere*, to cover.

6. **Un adiós de despedida,** a last farewell.

7. **¡por piedad!** for goodness' sake.

22. **¡Que salga.... así!** Go out? in this manner?

**Page 144.**—Line 6. **Ya el pecho se ensancha,** Now I feel more at ease.

19. **¡Si la muerte es preferible!** Death is indeed preferable!

21. **¡Diga usted que no, Teodora!** Say, it is not so, Teodora!

**Page 145.**—Line 13–14. **Hiera..... murmure,** etc.: *mundo* is the subject of these verbs. Whether ... or, is expressed in Spanish by *sea que.... ó que ; ya...ya ;* or nothing at first and followed simply by *ó*, as here.

23. **ya,** only.

**Page 146.**—Line 17. **No hay tal,** I have no contempt.

20. **Fué por algo,** There was some reason for it.

21. **por igual,** equally.

24. **él:** i. e. *Don Julián.*

26. **¡Se abrasa mi frente!** My head is in flames.

**Page 147.**—Line 9. **de rodillas,** on my knees.

16. **¡Miserables!** Wretches!

19. **para que no les oiga don Julián,** so that don Julian will not hear them.

**Page 148.** — Line 12. **En tanto que,** as long as.

14. **ha poco,** a little while ago.

21. **á palos,** by force.

**Page 149.** Line 3. **los dos tan solo,** we two alone.

10. **Se lo ruego,** I beg it of you.

13. **osadía,** boldness, daring, audacity; from Latin *audere*, to dare.

28. **supo Severo,** Severo was wise enough to.

**Page 150.** — Line 9. **¡Suelta, villano!** Let go, you villain.

17. **á voz en cuello,** in a loud voice. Put the word "*cobarde*" last in translating.

21. **¡Si él lo ha querido!** He himself has wished it so.

28. **¡Es verdad; pero no suelto!** That's true, but I won't let go.

**Page 151.** — Line 2–4. **¡Pues así quiero que respete á Teodora y que se humille de esta mujer ante el dolor inmenso!** Just so I want you to respect Teodora and humbly bow before her great sorrow.

7. **¡A mí!... ¡Tal dice!** Does he say that to me?

19. **¡Abajo!... ¡Al polvo!** Down in the dust!

20. **¡Por piedad!** Mercy!

24. **¡Mil rayos!** Fury! A thousand thunders!

25. **¡A sus plantas!** At her feet!

**Page 152.** — Line 9. **¡Déjame!** Leave me alone!

10. **¡No, por Dios!** Mercy, no!

21. **¡Que los detengan!** Have them stop!

**Page 153.** — Line 9. **¡Los dos...** Both of them...

17. **¡Sobre mi pecho!** In my arms!

20. **¿Ya lo ves?** Do you see?

**Page 154.** — Line 5. **¡Por Dios santo!** For mercy's sake!

9. **¡Si yo te adiviné!... ¡si sé que le amas!** Well did I know your thoughts, and well do I know that you love him.

16. ¡ **Si es la evidencia** ! It is as clear as it can be.

**Page 155.** — Line 10–11. ¿ **Qué hacer** ? ¿ **qué hacer Ernesto** ? What shall we do, Ernesto ? what shall we do ?

15. ¡ **Os concertáis, infames** ! You are plotting together, you wretches.

22–23. **Más cerca ... aun más,** Nearer, still nearer.

**Page 156.** — Line 8. **Pues cruzad ante mí vuestras miradas,** Well then, look at each other, before me.

19. **si ha de ser,** it needs must be so.

20. ¡ **aun más** ! still nearer.

27. ¡ **claro lo he visto** ! Well have I seen it.

**Page 157.** — Line 3. ¡ **Toda** ! All of it.

4. ¡ **Quieto** ! Be still !

25. ¡ **Jesús** ! Heavens !

**Page 158.** — Line 18. ¡ **Por Dios Julián** ! ... ¡ **Por mí** ! For heaven's sake, Julian ! ... For my sake !

26. ¡ **ni me mira** ! she doesn't even look at me.

**Page 159.** — Line 6. ¡ **De qué sirve la lealtad** ! What is the use of loyalty ?

**Page 160.** — Line 8. ¡ **Yo quiero que viva** ! I want him to live.

9. ¡ **Y yo** ! And so do I !

13. ! **Yo sí** ! Well, I can.

18. ¡ **No se pasa** ! She cannot pass.

**Page 161.** — Line 1. ¡ **Pronto ... arroja esa mujer** ! Turn that woman out at once.

11. ¡ **Lejos ... lejos ... ó la mato** ! Away with her, or I'll kill her.

19. **Deja,** Get away from here.

20. ¡ **Si no es cierto** ! It is not true, in the least.

**Page 162.** — Line 7. ¡ **Arrójala** ! Away with her.

# VOCABULARY

# VOCABULARY

## A

**á,** to, by, in, at, far, of, on, according to.
**abajo,** below, under, underneath.
**abandonar,** to abandon, to desert, to leave.
**abatido, –a,** dejected, discouraged, spiritless.
**abatimiento,** *m.*, abatement, discouragement, weakness.
**abierto, –a,** open, frank, sincere, open-hearted.
**abismo,** *m.*, abyss.
**ablandar,** to soften, to loosen.
**abnegación,** *f.*, abnegation.
**abolir,** to abolish, to repeal.
**abominable,** abominable, detestable, odious.
**abominar,** to abhorr, to detest, to hate.
**abominación,** *f.*, abomination.
**abonado,** *m.*, **abonada,** *f.*, rich person, creditable person.
**abonar,** to insure, to make better, to allow.
**abono,** *m.*, security, good advantage, profit.
**aborrecer,** to detest, to abhorr, to hate.
**abrasar,** to burn, to fire.
**abrazar,** to embrace.
**abrazo,** *m.*, embrace, hug.
**abreviar,** to shorten, to cut short; to abridge.
**abrigar,** to shelter, to protect.
**abrigo,** *m.*, protection, aid, shelter; mantle, overcoat.
**abril,** *m.*, April.
**abrir,** to open, to unlock.
**abrumar,** to cause trouble, to overwhelm.
**absoluto, –a,** absolute.
**absorto, –a,** absorbed.
**absorber,** to absorb, to imbibe.
**abstenerse,** to abstain, to restrain.
**abstracción,** *f.*, abstraction.
**abstraer,** to retire, to abstract.
**absurdo, –a,** absurd, ridiculous.
**abuelo,** *m.*, grandfather.
**abundancia,** *f.*, abundance, plenty.
**abundante,** plentiful, abundant.

**aburrido, -a,** weary, tired.
**abusar,** to abuse.
**abuso,** *m.*, abuse.
**acá,** here, hither, to this place.
**acabar,** to finish, to end, to complete.
**acabar de,** to have just done a thing; **acaba de llegar,** he has just arrived.
**acariciar,** to cherish, to caress.
**acaso,** by chance, perhaps.
**acatar,** to respect, to obey.
**accidente,** *m.*, accident.
**acción,** *f.*, action, feat.
**accentuado, -a,** forcible, accentuated.
**acento,** *m.*, accent, tone, voice.
**aceptar,** to accept, to receive.
**acerca de,** about, relating to.
**acercarse,** to approach, to come near.
**acero,** *m.*, steel; sword.
**acertar,** to ascertain, to guess, to succeed.
**aciago, -a,** unfortunate, sad.
**aclamar,** to shout, to applaud, to complain.
**acomodado, -a,** convenient, fit.
**acomodar,** to accomodate, to fit, to conform.
**acompañar,** to accompany, to conduct.
**acongojar,** to vex, to worry, to afflict.
**aconsejar,** to counsel, to advice.
**acontecimiento,** *m.*, event, happening.
**acordar,** to remind, to remember, to agree.
**acosar,** to vex, to molest.
**acostarse,** to lay down, to put to bed, to go to bed.
**acreedor,** *m.*, acreditor.
**actitud,** *f.*, attitude, position, posture.
**actividad,** *f.*, activity.
**activo, -a,** active, diligent.
**acto,** *m.*, act, action, act of a play.
**actor,** *m.*, actor, performer.
**actriz,** *f.*, actress.
**actual,** actual, present,
**acudir,** to assist, to come to one's rescue, to repair to.
**acusar,** to accuse.
**achaque,** *m.*, pretext, excuse.
**adaptar,** to adapt, to fit.
**adelantar,** to advance, to go before, to anticipate.
**adelante,** farther off, higher, onward.
**ademán,** *m.*, gesture, position, looks, manner.
**además,** moreover, besides.
**adentro,** inside, within.
**adiós,** good-by.
**adivinar,** to foretell, to conjecture, to find out.
**admirable,** admirable.
**admiración,** *f.*, admiration, astonishment.
**admirar,** to wonder, to admire.
**admitir,** to admit, to receive, to agree.
**adonde,** whither, to what place.
**adoptar,** to adopt.

**adorable,** adorable.
**adorar,** to adore, to worship.
**adornar,** to adorn, to beautify.
**adquirir,** to acquire, to obtain.
**adular,** to flatter.
**adusto, -a,** sullen, stern, gloomy.
**adversario,** *m.*, adversary, opponent, enemy. [serve.
**advertir,** to warn, to notice, to ob-
**afable,** affable, kind.
**afán,** *m.*, anxiety, trouble, fatigue.
**afección,** *f.*, affection, love, inclination.
**afectación,** *f.*, affectation.
**afectar,** to feign, to affect, to act upon.
**afecto,** *m.*, love, kindness; fancy, passion.
**afectuoso, -a,** kind, loving.
**aferrar,** to grasp, to insist, to be stubborn.
**afirmación,** *f.*, affirmation.
**afirmar,** to affirm, to contend.
**afirmativo,** affirmative.
**aflicción,** *f.*, affliction, sorrow, grief.
**afligir,** to afflict, to grieve.
**afortunado, -a,** fortunate, happy.
**afrenta,** *f.*, insult, affront, infamy.
**afrentar,** to insult, to affront.
**afuera,** outside, outward, out; besides, moreover.
**afueras,** *f.*, environs, neighborhood.
**agarrar,** to seize, to grasp,
**agitar,** to agitate, to move, to flutter.
**agolparse,** to rush, to be jammed.
**agonía,** *f.*, agony, distress.
**agotar,** to drain, to expend, to exhaust.
**agradable,** agreeable, pleasing.
**agradar,** to please, to be pleasing.
**agradecer,** to thank, to be grateful.
**agravio,** *m.*, offense, insult, harm.
**agregar,** to aggregate, to collect, to heap up.
**agua,** *f.*, water.
**aguantar,** to sustain, to suffer, to stand, to endure.
**aguardar,** to await, to expect.
**agudo, -a,** sharp, witty.
**aguzado, -a,** sharp, attentive.
**ahí,** there, in that place.
**ahogar,** to choke, to drown, to smother.
**ah,** alas, ah.
**ahora,** now, at this time.
**ahorcar,** to kill by hanging.
**airado, -a,** mad, furious.
**aire,** *m.*, air, wind.
**ajeno, -a,** another's, other's, belonging to another.
**al,** = **á — el,** to the.
**ala,** *f.*, wing, row. [fy.
**alabar,** to praise, to extol, to glori-
**alarde,** *m.*, vanity, ostentation; **hacer —,** to boast.
**alarmar,** to alarm, to excite, to terrify.
**albergue,** *m.*, lodging, shelter.
**alboroto,** *m.*, disturbance, riot.
**alcaide,** *m.*, governor of a castle, warden. [capacity.
**alcance,** *m.*, ability, reach, length,

**alcanzar,** to reach, to pursue, to overtake, to extend.
**alcoba,** *f.*, alcove, bed-room.
**alegar,** to allege, to maintain, to discuss.
**alegrar,** to make merry, to gladden.
**alegre,** merry, joyful, glad, content.
**alegría,** *f.*, joy, mirth, pleasure.
**alejar,** to depart, to remove to a distance.
**alejamiento,** *m.*, elongation, departing, turning aside.
**algo,** something, somewhat, rather.
**alguien,** someone, somebody.
**alguno, -a,** someone, somebody, anyone.
**aliento,** *m.*, breath, vigor of mind, courage.
**alimento,** *m.*, nourishment, food.
**aliviar,** to lighten, to help.
**alma,** *f.*, soul, human being; heart.
**almorzar,** to breakfast.
**alquilar,** to rent, to hire.
**altar,** *m.*, altar.
**alrededor,** around, roundabout.
**alterar,** to alter, to change, to stir up, to excite.
**alteza,** *f.*, highness, height.
**altivez,** *f.*, haughtiness, arrogance, daring.
**altivo, -a,** haugthy, proud.
**alto, -a,** high, elevated; **en alta voz,** aloud.
**alumbramiento,** *m.*, enlightning, issue; **feliz** — happy issue or end.
**alumbrar,** to lighten, to enlighten.
**alzar,** to raise, to lift, to construct.
**allá,** there, in that place.
**allí,** there, in that place.
**ama,** *f.*, mistress of a house.
**amable,** amiable, kind.
**amagar,** to threaten, to be in a threatening attitude.
**amanecer,** to dawn, to become day.
**amante,** loving.
**amante,** *m* and *f.*, lover, sweetheart.
**amar,** to like, to love.
**amargo, -a,** bitter.
**amargura,** *f.*, bitterness.
**amarillo, -a,** yellow.
**ambición,** *f.*, ambition.
**ambicionar,** to desire, to covet.
**ambicioso, -a,** ambitious, desirous, covetous.
**ambiente,** *m.*, the ambient air.
**ambos, -as,** both.
**amenazador, -a,** threatening.
**amenazar,** to threaten, to menace.
**americano, -a,** American.
**amigable,** friendly.
**amigo,** *m.*, **amiga,** *f.*, friend.
**amistad,** *f.*, friendship.
**amo,** *m.*, master of a house.
**amor,** *m.*, affection, love; **de** or **con mil amores,** with all my heart.
**amoroso, -a,** kind, loving.
**amparar,** to shelter, to protect, to help, to assist.
**amparo,** *m.*, protection, aid, help.
**análogo, -a,** analogous, similar.

**ancho, -a,** broad, wide; **estar á sus anchas,** to be at one's ease.
**anciano, -a,** old, of old age.
**andar,** to go, to walk, to come, to act, to behave.
**anegar,** to inundate, to submerge.
**ángel,** *m. and f.*, angel.
**angosto, -a,** narrow, close.
**angustia,** *f.*, anguish, affliction, sorrow.
**anhelo,** *m.*, vehement desire, eagerness.
**animación,** *f.*, animation.
**animar,** to animate, to encourage, to excite.
**ánimo,** *m.*, courage, spirit, valor, strength.
**animoso, -a,** bold, spirited.
**anoche,** last night.
**anochecer,** to grow dark, to become night.
**anónimo, -a,** anonymous, nameless.
**ansia,** *f.*, anxiety, eagerness, longing.
**ansiedad,** *f.*, anxiety.
**ante,** before, in the presence of.
**anterior,** former, anterior.
**antes,** first, rather.
**antes de,** before, beforehand, before.
**antesala,** *f.*, anti-chamber.
**anticipar,** to anticipate.
**antidramático, -a,** antidramatic.
**antojo,** *m.*, whim, fancy, desire.
**anular,** to annul, to destroy.
**anunciar,** to announce.
**añejo, -a,** stale, musty, old.
**añicos,** *m.*, pieces, small pieces, splinters.
**año,** *m.*, year.
**apagar,** to extinguish, to quench.
**aparecer,** to appear, to come forth.
**apariencia,** *f.*, appearance, resemblance.
**apartar,** to separate, to divide, to part.
**aparte,** apart, separately.
**apenas,** scarcely, hardly, with great trouble.
**apercibir,** to warn.
**apetito,** *m.*, appetite.
**aplastar,** to crush, to flatten.
**aplicar,** to apply, to consider.
**apoderarse,** to take possession of.
**apoyar,** to protect, to favor, to aid, to hold to, to lean.
**apoyo,** *m.*, help, support.
**apreciar,** to appreciate, to esteem, to value.
**aprecio,** *m.*, regard, esteem, approbation.
**aprender,** to learn.
**apretar,** to clinch, to close, to grasp.
**aprisa,** quickly, swiftly.
**aprovechar,** to take advantage of, to profit.
**aproximar,** to approach.
**apuesto, -a,** elegant, genteel.
**apurar,** to hurry, to press.
**aquel,** that, that one, he who.
**aquí,** here, in this place.
**arca,** *f.*, chest, tomb.
**arcada,** *f.*, circle, arcade.
**arder,** to burn, to fire.

**ardoroso, -a,** arduous, restless.
**arena,** *f.*, sand, dust.
**argüir,** to argue, to discern.
**argumento,** *m.*, argument.
**ariete,** *m.*, battering ram.
**arma,** *f.*, arm, weapon.
**armonía,** *f.*, harmony.
**arte,** *m* and *f.*, art. skill, power.
**arrancar,** to pull up by the roots, to wrest.
**arranque,** *m.*, flight of imagination, fit of passion, start.
**arrastrar,** to creep, to drag.
**arrebatar,** to seize with violence, to act madly.
**arrebato,** *m.*, surprise, start, sudden burst.
**arreglar,** to arrange, to regulate.
**arreglo,** *m.*, rule, order.
**arremeter,** to attack, to assail, to seize.
**arrepentimiento,** *m.*, repentance.
**arrepentirse,** to repent.
**arriba,** above, over, high; up stairs.
**arriesgar,** to risk, to expose to danger.
**arrimar,** to approach, to draw near, to draw together.
**arrodillarse,** to fall on one's knees, to kneel down.
**arrogancia,** *f.*, arrogance, haughtiness.
**arrojar,** to cast, to throw, to put out.
**arruga,** *f.*, wrinkle.
**arrugar,** to wrinkle.
**ascender,** to ascend, to mount.
**ascuas, estar en —,** to be uneasy.
**asentir,** to agree, to yield.
**asesino,** *m.*, assassin, murderer.
**así,** thus, in this manner.
**asestar,** to aim, to make for.
**asegurar,** to assure, to declare.
**asomarse,** to appear, to look through, to look out.
**asombrar,** to frighten, to terrify, to astonish.
**asombro,** *m.*, astonishment, wonder, fear, terror.
**áspero, -a,** rough, rugged.
**aspirar,** to aspire, to covet.
**astuto, -a,** astute, cunning.
**astro,** *m.*, constellation, star.
**asunto,** *m.*, affair, matter, subject.
**atacar,** to attack, to assail.
**atajar,** to head of, to restrain, to obstruct, to hinder.
**atar,** to tie; **loco de —,** stark crazy.
**atenerse,** to depend on, to adhere to.
**atención,** *f.*, attention.
**atento, -a,** attentive, mindful, observing, heedful.
**aterrar,** to terrify, to dismay.
**atmósfera,** *f.*, atmosphere.
**atraer,** to allure, to attract.
**atrancar,** to lock; to step out.
**atrás,** backwards, behind.
**atreverse,** to dare, to venture.
**atrevido, -a,** bold, audacious.
**atribuir,** to attribute, to ascribe, to impute.

**atronar,** to stun, to sound like thunder, to make a stupendous noise.
**atroz,** atrocious, fiendish, cruel, vast, great.
**atropellar,** to insult, to trample under feet.
**aumentar,** to augment, to increase.
**aun,** yet, nevertheless; even.
**aunque,** although, though, even if.
**aureola,** *f.*, aureola, halo.
**autor,** *m*,, author.
**autoridad,** *f.*, authority.
**avanzar,** to advance, to proceed, to push forward.
**aventar,** to spread, to scatter.
**averiguar,** to inquire, to find out, to discuss.
**aversión,** *f.*, aversion.
**avisar,** to warm, to inform.
**ayer,** yesterday.
**ayuda,** *f.*, help, aid, protection.
**ayudar,** to help, to favor, to protect, to asist.
**azúcar,** *m.*, sugar.
**azul,** blue, azure.

## B

**bajar,** to descend, to come down, to diminish, to lower.
**bajo, –a,** low, mean, coarse.
**bajo,** under, below, beneath.
**balanza,** *f.*, balance, scales.
**balbuciente,** stammering.
**balcón,** *m.*, balcony.
**balde,** gratis, free; **en —,** in vain.
**bañar,** to bathe, to wash.
**banco,** *m.*, bench, seat, bank.
**banquero,** *m.*, banker.
**barro,** *m.*, earth, clay, mud.
**bastante,** sufficient, enough.
**bastar,** to suffice, to be enougn, to be plentiful.
**bastardo, –a,** bastard, illegitimate.
**batalla,** *f.*, battle, struggle.
**batir,** to dash, to beat, to **clash.**
**batirse,** to fight.
**beber,** to drink.
**belleza,** *f.*, beauty.
**bello, –a,** beautiful, nice, fine.
**Belcebú,** Belzebub.
**bendito, –a,** blessed.
**beneficio,** *m.*, benefice, favor, good advantage.
**Bengala,** Bengal.
**benigno, –a,** gentle, kind, amiable, merciful.
**besar,** to kiss.
**beso,** *m.*, kiss.
**bicho,** *m.*, vermin, ridiculous person, living being; rascal, vagabond.
**bien,** *m.*, good, goodness, utility, benefit, **–es,** property, riches.
**bien,** well, right, happily, heartily; **más —,** rather.
**bienhechor,** *m.*, benefactor.
**bienvenida,** *f.*, welcome.
**bizarro, –a,** gallant, brave, strange.
**blanco, –a,** white, of white color.
**blando, –a,** soft, smooth.
**boato,** *m.*, ostentation, vanity, pompous show; shout of joy.
**bobalicón,** *m.*, block-head.
**boca,** *f.*, mouth.
**bofetada,** *f.*, slap, blow.

**bofetón,** *m.*, blow with the hand on the face; slap.

**bondad,** *f.*, goodness, bounty, kindness.

**bondadoso, -a,** kind, gentle, generous, nice, good.

**bonito, -a,** pretty, nice, good, beautiful, graceful.

**borde,** *m.*, edge, side, border margin.

**borrar,** to efface, to obliterate, to rub off, to erase.

**bravo, -a,** brave, valiant, bold, hardy, fearless.

**bravura,** *f.*, fierceness, boldness, courage.

**brazo,** *m.*, arm, branch; **de—,** arm in arm.

**brete,** *m.*, difficulty, perplexity, trouble.

**breve,** brief, short, concise.

**bribón,** rascal, scoundrel.

**brillar,** to gleam, to shine, to sparkle, to glisten.

**brillo,** *m.*, gleam, splendor.

**brindar,** to allure, to entice, to offer gladly.

**brío,** *m.*, strength, vigor, spirit.

**broma,** *f.*, trouble, joke, fun.

**brotar,** to come forth, to appear, to sprout, to begin.

**bueno, -a,** good, simple, pleasant.

**bullir,** to boil, to bustle, to move around, to rage.

**buque,** *m.*, ship, steamer.

**burlar,** to mock, to ridicule.

**burlarse,** to mock one's self of, to ridicule.

**burla,** *f.*, mockery, scoff, abuse.

**buscar,** to look for, to seek, to hunt for.

**butaca,** *f.*, armchair, lounge.

## C

**cabal,** just, exact, complete.

**caballero,** *m.*, gentleman, sir, nobleman, knight.

**cabello,** *m.*, hair.

**caber,** to be contained, to contain, to be able, to fit, **no—de gusto,** to be elated with joy.

**cabeza,** *f.*, head.

**cabo,** *m.*, end, handle; **al—,** finally.

**cada,** each, every, all.

**cadáver,** *m.*, cadaver, corpse.

**caer,** to fall, to tumble.

**café,** *m.*, coffee, café, restaurant.

**caída,** *f.*, fall, coming.

**cálculo,** *m.*, calculation, purpose.

**calma,** *f.*, peace, calm, ease.

**calmar,** to appease, to calm, to pacify.

**calentura,** *f.*, fever, warmth

**calor,** *m.*, heat, warmth.

**calumnia,** *f.*, calumny.

**calumniar,** to calumniate, to libel.

**callar,** to be silent.

**calle,** *f.*, street, alley.

**cama,** *f.*, bed.

**cambiar,** to change, to exchange, to barter.

**cambio,** exchange, change; **en—,** on the other hand.

**caminar,** to walk, to travel

**camino,** *m.*, road, way.

**campo,** *m.*, field, country.

**canalizo,** *m.*, narrow, channel.

**canapé,** *f.*, couch, mattress.
**candoroso, –a,** kind, frank, open, gentle.
**cansancio,** *m.*, fatigue, weariness.
**cantar,** to sing.
**caótico, –a,** chaotic, vague.
**capaz,** capable, able.
**carácter,** *m.*, character.
**cara,** *f.*, face, countenance.
**carcajada,** *f.*, burst of laughter.
**cargo,** *m.*, care, charge.
**cariño,** *m.*, love, affection, kindness.
**cariñoso, –a,** loving, kind, affectionate.
**caro, –a,** dear, high-priced.
**carrera,** *f.*, career, course, profession.
**carta,** *f.*, letter.
**casa,** *f.*, house, abode.
**casarse,** to marry, to be married.
**casi,** almost, nearly, hardly.
**casino,** *m.*, casino, club-house.
**caso,** *m.*, case, matter, event.
**castellano, –a,** Castilian.
**castigar,** to chastise, to punish.
**castigo,** *m.*, punishment, chastisement.
**casto, –a,** chaste, pure.
**casualidad,** *f.*, casualty, fate.
**catástrofe,** *m.*, catastrophe.
**caudal,** *m.*, fortune, property, wealth, riches.
**causa,** *f.*, cause, occasion.
**causar,** to cause, to bring about, to produce.
**cauteloso, –a,** cautious, heedful, careful.
**cauto, –a,** cautious, prudent, wary.
**cavilación,** *f.*, cavilling.
**caza,** *f.*, hunt, pursuit, expectation, chase.
**cazar,** to hunt, to chase, to sport
**cedar,** to yield, to give up.
**ceja,** *f.*, eyebrow.
**celage,** *m.*, clouds, color of clouds.
**celaje,** *m.*, clouds, cloud scenery, color of clouds.
**celebrar,** to celebrate, to respect.
**celo,** *m.*, zeal, false suspicion, jealousy.
**celoso, –a,** jealous, eager.
**ceniza,** *f.*, ashes, dust.
**centro,** *m.*, center, the middle.
**ceñir,** to adhere, to rely, to bind.
**cerca,** near, close by, close.
**cerebro,** *m.*, cerebrum, brain.
**cerco,** *m.*, circle, ring.
**cerrar,** to close, to shut.
**cerro,** *m.*, hill, mountain.
**ciego, –a,** blind, furious.
**cielo,** *m.*, heaven, sky.
**cien,** hundred.
**ciencia,** *f.*, science, knowledge.
**cieno,** *m.*, mire, mud, filth.
**ciento,** hundred.
**cierto, –a,** certain, evident.
**cifra,** *f.*, cipher, sign.
**cigarro,** *m.*, cigar.
**cima,** *f.*, top, summit.
**circundar,** to surround, to encircle.
**circunstancia,** *f.*, circumstance.
**cita,** *f.*, meeting, date, rendezvous
**ciudad,** *f.*, city, town.
**clamar,** to clamor, to shout.
**clamor,** *m.*, clamor, shout.
**claridad,** *f.*, clearness, small light.
**claro, –a,** clear, evident, pure; **es—,** of course.
**clase,** *f.*, kind, class.

**cobarde,** coward, timid.
**cobardia,** *f.*, cowardice.
**coche,** *m.*, coach, carriage.
**cochero,** *m.*, coachman, driver.
**codiciar,** to covet, to desire.
**coger,** to grasp, to collect, to pick up, to seize.
**cojo, -a,** cripple, lame.
**cojuelo,** *m.*, a cripple.
**cólera,** *f.*, anger, wrath, passion.
**colérico, -a,** mad, angry, raging.
**colgar,** to hang, to suspend.
**colocar,** to locate, to place, to put.
**Colón,** Columbus.
**coloquio,** *m.*, conversation.
**color,** *m.*, color.
**comedor,** *m.*, dining-room.
**comenzar,** to begin, commence.
**comer,** to eat.
**cometer,** to commit, to be guilty of.
**comezón,** *m.*, strong desire, itching.
**cómico, -a,** comic, comical.
**como,** how, as, as if, since.
**compasión,** *f.*, compassion.
**compasivo, -a,** compassionate, merciful, kind.
**compendio,** *m.*, compendium, summary, collection.
**complejo, -a,** complex, mixed.
**completar,** to complete, to end, to finish.
**cómplice,** *m.*, accomplice, accessory.
**compra,** *f.*, purchase.
**comprar,** to buy.
**comprender,** to understand, to know, to comprehend, to embrace.
**comunicar,** to communicate, to tell, to let know.
**con,** with, by; **—tal que,** provided that.
**concebir,** to conceive, to imagine, to make out.
**conceder,** to concede, to grant, to give, to yield.
**concentrar,** to concentrate, to fix, to gather.
**concertar,** to plot, to intrigue, to go together, to unite.
**concesión,** *f.*, concession.
**concisión,** *f.*, conciseness, brevity.
**conciencia,** *f.*, conscience.
**concluir,** to conclude, to end, to finish, to complete.
**conclusión,** *f.*, conclusion, end, completion.
**concretar,** to combine, to concrete.
**condenar,** to damn, to condemn.
**condensar,** to condense, to gather, to bring together.
**conducir,** to conduct, to lead.
**confesar,** to confess, to declare.
**confiar,** to trust, to entrust.
**confundir,** to confound.
**confuso, -a,** confused, confounded.
**conjuro,** *m.*, entreaty, imploration, conjuration.
**conmigo,** with me, with myself.
**conmover,** to move to pity, to move, to soften.
**conocer,** to know, to be acquainted with, to understand.
**conque,** so, well then; means.
**consagrar,** to consecrate, to make sacred, to devote.
**conseguir,** to get, to obtain, to succeed, to allure.
**consejo,** *m.*, advice, counsel.

**consentir,** to consent, to agree.
**considerar,** to consider, to think.
**consistir,** to consist, to subsist, to be composed.
**consolar,** to console, to comfort.
**consonante,** *m.*, rhyme, consonant.
**consuelo,** *m.*. consolation, comfort.
**consultar,** to consult, to see, to advise, to ask advice.
**consumir,** to consume, to destroy.
**contacto,** *m.*, contact, touch.
**contar,** to reckon, to count, to relate, to tell, to rely on.
**contemplar,** to behold, to see, to contemplate, to observe.
**contener,** to contain, to restrain, to hold back, to hold, to have.
**contentar,** to content, to comfort, to make glad, to cheer up.
**contento,** *m.*, joy, mirth.
**contento, -a,** glad, happy, merry, gay, content.
**contestar,** to contest, to struggle, to answer.
**contigo,** with you, with yourself.
**continuar,** to continue, to proceed, to hold.
**contorno,** *m.*, environs, outline.
**contra,** against, opposite, contrary, to, towards; **en —**, against.
**contracción,** *f.*, contraction.
**contrariar,** to contradict, to oppose, to counteract.
**contrario, -a,** contrary, opposite.
**contribuir,** to contribute.
**convencer,** to convince, to convict, to show, to demonstrate.
**conveniencia,** *f.*, convenience.
**conveniente,** convenient, proper.
**convenir,** to agree, to yield, to support, to convene, to fit, to be proper, to suit.
**conversación,** *f.*, conversation.
**conversar,** to converse, to talk.
**converter,** to convert, to turn, to change.
**convidar,** to invite, to ask.
**convulsión,** *f.*, convulsion.
**copa,** *f.*, cup, glass, vase.
**copioso, -a,** copious, abundant.
**copla,** *f.*, couplet, verse.
**copo,** *m.*, bundle, flake of snow; **— de ceniza,** ashes.
**corazón,** *m.*, heart, courage, spirit.
**corbata,** *f.*, cravat, necktie.
**córdero,** lamb, meek or gentle person.
**cortado, -a,** startled, shocked, timidly blushing.
**correr,** to run, to flow.
**corresponder,** to correspond, to return, to answer, to regard.
**corresponsal,** *m.*, correspondent.
**corriente,** current, running, easy, plain, common.
**corriente,** *adv.*, well, very well; all right.
**corriente,** *f.*, current, river, stream.
**corromper,** to corrupt, to vitiate.
**cortinaje,** *m.*, curtains, set of curtains.
**corto, -a,** short, little, small.
**cosa,** *f.*, thing, affair; **— de,** about.
**cotarro,** *m.*, poor-house.
**crear,** to create, to make.

**creador,** *m.*, creator, maker.
**crecer,** to grow, to increase.
**creciente,** increasing, growing.
**crédito,** *m.*, credit, reputation.
**creer,** to believe, to think. [waiter.
**criado,** *m.*, **criada,** *f.*, servant,
**crisis,** *f.*, crisis, climax.
**crispado, -a,** crisped, stiffened.
**cristal,** *m.*, crystal.
**cruel,** cruel, mean, infamous.
**crueldad,** *f.*, cruelty, treachery.
**cruzar,** to cross, to pierce.
**cuadro,** *m.*, frame, square, picture, painting, background.
**cual,** who, which, what, as.
**cualquier, -a,** any, anyone, anybody, someone, whatever.
**cuando,** when, at what time; **de — en —,** from time to time.
**cuanto,** how much, how many, as; **unos cuantos, -as,** a few.
**cuarenta,** forty.
**cuarentena,** *f.*, the fortieth year.
**cuarto,** *m.*, room, studio.
**cuartos,** *m.*, money, cash.
**cuatro,** four.
**cuello,** *m.*, collar, neck.
**cuenta,** *f.*, reckoning, count, account; **á fin de -s,** finally, at last.
**cuerpo,** *m.*, body, company.
**cuestión,** *f.*, question, problem.
**cuidado,** *m.*, care, regard, charge, attention.
**cuidar,** to care, to care for, to look after, to save, to guard.
**culpa,** *f.*, guilt, fault, blame, sin.
**culpable,** guilty.
**cumplir,** to fulfil, to do one's duty, to obey. [gravate.
**cundir,** to spread, to fill, to ag-
**curiosidad,** *f.*, curiosity.
**curioso, -a,** curious, strange.

## Ch

**charlar,** to chat, to gossip.
**charca,** *f.*, pool of water, pool.
**chasco,** *m*,. fun, joke, accident, disappointment.
**chico, -a,** small, little, low, short.
**chico,** *m.*, small fellow, boy.
**chisme,** *m.*, story, false tale.
**chismear,** to tattle, to tell stories, to misreport.
**chocar,** to strike, to dash against one another.

## D

**dama,** *f.*, lady, dame, damsel.
**daño,** *m.*, harm, wrong, injury.
**dar,** to give, to donate, to supply, to confer, to deliver.
**de,** of, from, by, with, as, on; **de día,** by day.
**deber,** *m.*, obligation, duty.
**deber,** to owe, to be obliged to, to be bound by duty to.
**débil,** weak, light, feeble.
**decente,** decent, proper, honest, modest, fair.
**decepción,** *f.*, deception.
**decir,** to say, to tell.
**declamación,** *f.*, declamation, discourse. [firm.
**declarar,** to declare, to say, to af-

**declinar,** to decline, to refuse.
**decoración,** *f.*, decoration, adornment.
**decoro,** *m.*, honor, respect, purity.
**dedicar,** to dedicate, to devote.
**dedo,** *m.*, finger.
**defender,** to defend, to shelter, to guard.
**defensa,** *f.*, defense, guard.
**dehesa,** *f.*, hunting grounds, pasture.
**dejar,** to allow, to leave, to quit.
**del** = **de el,** of the.
**delante,** before, in presence of, in front of.
**delantera,** *f.*, lead, first place.
**delicadeza,** *f.*, delicacy, daintiness.
**delicado, -a,** delicate, pleasing, weak, nice, delicious.
**delirio,** *m.*, delirium, madness.
**delirar,** to rage, to act mad.
**delito,** *m.*, crime, blame, guilt.
**demandar,** to demand, to ask, to claim.
**demás,** besides, moreover; over and above, too much; **lo —,** the rest, the remaining.
**demasiado,** too much, more than enough, excessive.
**demente,** mad, crazy, demented.
**demostrar,** to show, to demonstrate, to prove.
**dentro,** inside, in, within.
**derecho,** *m.*, right, justice.
**derecho, -a,** right, straight, fair, honest, trustworthy, just.
**derramar,** to spill, to shed.
**desafío,** *m.*, challenge, duel, fight.
**desaire,** *m.*, slight, disdain.
**desaliñado, -a,** disarranged.
**desalquilado, -a,** unrented.
**desanimar,** to make one lose courage, to lose courage, to be discouraged, to grow weak.
**desaparecer,** to disappear, to vanish.
**desarrollar,** to unfold, to unravel, to develop.
**desasir,** to loosen, to free, to lose.
**desasirse,** to get away, to depart.
**desatino,** *m.*, extravagance, stupidity, wildness, rash deed.
**descansar,** to rest, to repose.
**descanso,** *m.*, rest, repose, ease.
**descaperuzar,** to uncover the head, to clip.
**descender,** to descend, to come down.
**descompuesto, -a,** unadorned, slovenly.
**desconfianza,** *f.*, suspicion, jealousy.
**desconfiar,** to suspect, to mistrust.
**descubrir,** to discover, to find out.
**descubrimiento,** *m.*, discovery, find.
**descuento,** *m.*, discount.
**desde,** since, from.
**desdén,** *m.*, disdain, contempt.
**desdeñar,** to disdain, to despise, to scorn.
**desdeño,** *m.*, disdain, contempt.
**desdeñoso, -a,** disdainful, contemptuous.

**desdicha,** *f.*, misfortune, ill-luck, disgrace.
**desdichado, -a,** unfortunate, miserable.
**desear,** to desire, to wish.
**desechar,** to expel, to reject, to depreciate.
**desengañar,** to undeceive, to free from error.
**desenlace,** *m.*, end, conclusion, catastrophe.
**desesperación,** *f.*, despair.
**desesperado, -a,** desperate, terrible, agonizing, despairing.
**desesperar,** to despair.
**desgarrador, -a,** heart-rending, terrible.
**desgarrar,** to tear, to rend.
**desgracia,** *f.*, misfortune. disgrace; **por —,** unfortunately.
**deshonra,** *f.*, dishonor, disrespect.
**deshonrar,** to dishonor, to defame, to slander.
**desleal,** disloyal, perfidious.
**desocupado,** *m.*, idle, idler.
**desorden,** *m.*, disorder, riot.
**despacio,** slow, slowly.
**despachar,** to send, to depart.
**despacho,** *m.*, office, room.
**despedida,** *f.*, farewell, departure.
**despedir,** to send off, to go, to bid good-by, to depart.
**despertar,** to awake, to awaken.
**desplomar,** to fall, to swoon.
**despreciar,** to contempt, to spite, to disrepect.
**desprecio,** *m.*, spite, scorn.
**desprenderse,** to get away, to depart.
**después,** after, afterwards.
**destinar,** to destine, to design.
**destino,** *m.*, destiny, purpose.
**destruir,** to destroy, to abolish.
**desvanecer,** to disappear, to vanish.
**desvariar,** to rage, to rave, to act mad, to lose one's senses.
**desvarío,** *m.*, delirium, madness.
**desventurado, -a,** unfortunate, miserable.
**desvío,** *m.*, deviation, diffidence.
**detener,** to stop, to detain, to cause to stop.
**desterrar,** to expel, to banish, to exile.
**deudo,** *m.*, relation, kindred, relative.
**devorar,** to devour, to destroy.
**día,** *m.*, day.
**diáfano, -a,** transparent, clear, lucid.
**diálogo,** *m.*, dialogue.
**diario, -a,** daily, every day.
**dibujar,** to outline, to design.
**dicha,** *f.*, happiness, fortune, good luck.
**dichoso, -a,** happy, fortunate.
**diestro, -a,** right, skilful, expert.
**diez,** ten.
**diferencia,** *f.*, difference.
**difícil,** hard, difficult, laborious.
**dificultad,** *f.*, difficulty.
**dignidad,** *f.*, dignity, honor, greatness, rank.
**digno, -a,** worthy, capable, deserving.
**dilatar,** to dilate, to expand, to retard, to stay long.
**diligente,** diligent, industrious.

**dinero,** *m.*, money, cash.
**Dios,** God.
**dirigir,** to direct, to guide.
**discreción,** *f.*, discretion, prudence.
**disculpa,** *f.*, apology, excuse.
**disculpar,** to exculpate, to excuse.
**discurrir,** to discuss, to discourse.
**discutir,** to discuss, to argue, to dispute.
**disección,** *f.*, dissection, anatomy.
**disfamar,** to defame, to insult.
**disgustar,** to disgust, to offend.
**disgusto,** *m.*, disgust, offense.
**disimular,** to feign, to hide, to conceal, to misrepresent.
**disipar,** to scatter, remove, dissipate.
**disminuir,** to diminish.
**dispensar,** to dispense, to excuse, to do away with.
**disponer,** to dispose, to arrange, to order.
**disposición,** *f.*, disposition, arrangement.
**disputa,** *f.*, dispute, debate, quarrel.
**disputar,** to dispute, to discuss.
**distancía,** *f.*, distance.
**distante,** remote, distant.
**distinguir,** to distinguish, to honor, to see, to discern.
**distinto, -a,** distinct, clear.
**distracción,** *f.*, distraction; amusement.
**distraer,** to distract, to perplex.
**distribuir,** to distribute, to spread, to give out.
**divertir,** to divert, to amuse.
**dividir,** to divide, to separate.
**divino, -a,** divine, heavenly.
**división,** *f.*, division, separation.
**divulgar,** to divulge, to tell, to give out.
**diz,** = **dicen** or **se dice,** it is said.
**doblar,** to double, to fold.
**doble,** double, twice as much.
**doler,** to pain, to grieve, to hurt, to be sorry.
**doblón,** *m.*, doubloon.
**dolor,** *m.*, pain, sorrow.
**dominar,** to dominate, to restrain.
**don,** sir, mister, lord.
**doncel,** *m.*, youth, young man.
**doncella,** *f.*, maid, virgin, girl.
**donde,** where, in what place.
**doña,** madam, lady, mistress.
**dormir,** to sleep, to dream.
**dos,** two.
**drama,** *m.*, drama.
**ducho, -a,** learned, skilful, dexterous.
**duda,** *f.*, doubt, hesitation, suspicion, fear.
**dudar,** to doubt, to hesitate, to suspect.
**duelo,** *m.*, duel, combat.
**dueño,** *m.*, master, owner, proprietor.
**dulce,** sweet, amiable, kind.
**dulzura,** *f.*, sweetness, gentleness, meekness, kindness.
**durante,** during, in the meantime.
**durar,** to last, to continue, to endure.
**dureza,** *f.*, hardness, firmness.
**duro, -a,** hard, difficult, firm, solid.

## E

**é,** and. *Placed instead of* **y,** *before* **i** *or* **hi.**
**eco,** *m.*, echo, sound.
**economizar,** to economize, save.
**echar,** to cast, to throw, to drive away, to put; — **de menos,** to miss; — **en cara,** to reproach.
**edad,** *f.*, age, epoch, time.
**edén,** *m.*, eden, paradise.
**edificar,** to edify, to build.
**efecto,** *m.*, effect, purpose, result.
**eficaz,** active, efficacious, effective.
**efusión,** *f.*, effusion, confidence.
**egoísmo,** *m.*, egoism, selfishness.
**ejecutar,** to execute, to do, to carry out, to perform.
**ejemplar,** *m.*, copy, example.
**ejemplo,** *m.*, example, precedent.
**ejercer,** to practice, to exercise.
**ejercicio,** *m.*, exercise, employment.
**el,** the, it.
**él,** he, him.
**elección,** *f.*, election, choice.
**elegancia,** *f.*, elegance, beauty.
**elegante,** fine, elegant, rich.
**elegir,** to choose, to elect, to select.
**elemento,** *m.*, element, part, principle.
**elevar,** to elevate, to lift, to raise.
**ella,** she, her.
**ello,** it.
**eludir,** to elude, to avoid.
**emanacíon,** *f.*, emanation.
**emanar,** to emanate.
**embarazar,** to embarass, to perplex.
**embarcar,** to embark, to ship.
**embellecer,** to embellish, to adorn, to beautify.
**empañar,** to stain, soil, tarnish.
**empeñar,** to insist, to be obstinate, to pledge, to engage, to pawn.
**empeño,** *m.*, earnestness, devotion, duty, obligation, courage, care.
**empeorar,** to impair, to grow worse.
**empezar,** to begin, to commence.
**emplear,** to use, to employ, to handle.
**empleo,** *m.*, work, employment, occupation, business.
**emprender,** to undertake, to attempt.
**empresa,** *f.*, undertaking, task, enterprise.
**empujar,** to push, to shove, to push away.
**en,** in, on, for, upon, after.
**enamorado, -a,** in love, lovesick.
**enamorar,** to enamour, to make love; — **se,** to fall in love.
**encaminarse,** to start to, to go to, to guide, to proceed.
**encantar,** to charm, to bewitch.
**encargar,** to charge, to command.
**encargo,** *m.*, charge, command, commission.
**encender,** to kindle, to lighten, to set fire to, to start.
**encerrar,** to shut up, to enclose, to confine.
**encima,** over, above, at the top.
**encimar,** to pile up, to place at the top.

**encomendar,** to recommend, to commend, to charge with.
**enconar,** to inflame, to irritate, to make worse, to swell.
**encontrar,** to meet, to find, to encounter, to find out.
**endurar,** to endure, to harden.
**enemigo,** *m.*, enemy, fiend, foe.
**enemigo, –a,** hostile, **enimical,** adverse.
**energía,** *f.*, energy, force, vigor.
**enérgico, –a**, energetic, vigorous.
**enfadarse,** to become angry, to be angry.
**énfasis,** *m.*, emphasis, stress.
**enfermo, –a,** ill, sick, infirm.
**enfrente,** in front, opposite, against.
**engañar,** to deceive, to cheat.
**engaño,** *m.*, deceit, mistake, fraud.
**engendrar,** to engender, give rise to.
**engendro,** *m.*, embryo, shapeless form, vision.
**engolfar,** to engulf, to absorb.
**enjugar,** to dry up, to wipe.
**enlace,** *m.*, tie, link, connection.
**enojar,** to make mad or angry, to offend, to trouble.
**enojo,** *m.*, anger, madness, offense.
**enorme,** enormous, vast, horrible.
**enredo,** *m.*, entanglement, quarrel, intrigue.
**enrojecerse,** to blush, to become red.
**ensanchar,** to widen, to enlarge, to dignify.
**ensayar,** to try, to experiment.
**ensayo,** *m.*, trial, experiment.
**enseñar** to teach, to instruct.
**entender,** to understand, to know, to conceive, to believe.
**entendimiento,** *m.*, understanding, knowledge, mind.
**enteramente,** entirely.
**enterar,** to inform, to acquaint, to instruct, to observe.
**enternecer,** to move, to move to pity.
**entero, –a,** entire, entirely, whole, exact, right.
**entonces,** then, well, afterwards.
**entrada,** *f.*, entrance, entry, coming.
**entrañas,** *f.*, *pl.*, entrails, affection, disposition.
**entrar,** to enter, to go in, to begin, to march in.
**entre,** between, among.
**entregar,** to give, to deliver, to give up.
**entretener,** to entertain, to divert, to delay, to retard.
**entusiasmar,** to fill with enthusiasm.
**entusiasmo,** *m.*, enthusiasm, rapture.
**enviar,** to send, to dispatch.
**envidia,** *f.*, envy, jealousy.
**envidiar,** to envy, to grudge.
**envilecer,** to vilify, to degrade, to be corrupted.
**época,** *f.*, epoch, age, time.
**equívocar,** to mistake, to be mistaken.
**equívoco,** *m.*, mistake, fault.
**errar,** to be mistaken, to wander, to err, to miss.
**error,** *m.*, error, fault, mistake.

**escabroso, -a,** dangerous, difficult.
**escándalo,** *m.*, scandal, offense, astonishment.
**escandaloso, -a,** scandalous.
**escapar,** to escape, to save, to free from danger.
**escape,** *m.*, flight, escape: **á —,** as quickly as possible.
**escarnecer,** to mock, to ridicule.
**escaso, -a,** limited, rare, hard.
**escena,** *f.*, scene, scenery, stage.
**escenario,** *m.*, scenes, stage, theatre.
**escéptico, -a,** skeptic, skeptical.
**esconder,** to hide, to conceal.
**escribir,** to write, to compose.
**escrúpulo,** *m.*, scruple, doubt.
**escuchar,** to hear, to listen.
**escudar,** to shield, to defend, to guard.
**escudo,** *m.*, shield.
**ese,** that, that one.
**esencial,** essential, necessary.
**esfera,** *f.*, sphere, globe, state.
**esforzar,** to strengthen, to exert, to invigorate.
**esfuerzo,** *m.*, strength, spirit, courage, effort, exertion.
**espacio,** *m.*, space, room, capacity.
**espada,** *f.*, sword.
**espadachín,** *m.*, bully, hackster, coward, babbler.
**espantable,** frightful, terrible, terrifying.
**espantar,** to frighten, to terrify.
**espanto,** *m.*, fright, fear, menace.
**espantoso, -a,** terrible, fearful, terrifying.
**España,** Spain.
**español, -a,** Spanish.
**esparcir,** to spread, to scatter.
**especial,** special, particular.
**especie,** *f.*, species, kind.
**espectáculo,** *m.*, spectacle, show.
**espectador,** *m.*, spectator, witness.
**esperanza,** *f.*, hope, expectation.
**esperar,** to hope, to wait, to expect, to wait for.
**espirar,** to expire, to breathe, to die, to finish, to end.
**espíritu,** *m.*, spirit, mind, courage.
**espléndido, -a,** splendid, elegant, rich.
**espontáneo, -a,** spontaneous, willing.
**esposa,** *f.*, wife, bride, mistress.
**esposo,** *m.*, husband, man.
**esta,** this, this one.
**estado,** *m.*, state, condition.
**estancia,** *f.*, room, apartment.
**estante,** *m.*, stand, book-shelf.
**estar,** to be, to be in a place.
**estatua,** *f.*, statue, figure, bust.
**este,** this, this one.
**este,** *m.*, the east, orient.
**estimación,** *f.*, esteem, regard.
**estimar,** to esteem, to love.
**esto,** this.
**estofa,** *f.*, stuff, class, quality.
**estorbar,** to trouble, to obstruct, to hinder.
**estrafalario, -a,** slovenly, wild, queer.
**estrago,** *m.*, havoc, waste, ravage.

**estrechar,** to press, to tighten, to embrace.
**estrellar,** to dash, to dash to pieces.
**estro,** *m.*, stimulus, élan, start, impulse.
**estudiar,** to study.
**estudio,** *m.*, study, study-room.
**estúpido, –a,** stupid, foolish.
**estupor,** *m.*, stupor, wonder, astonishment.
**eterno, –a,** eternal, everlasting.
**etiqueta,** *f.*, etiquette, ceremony.
**evidencia,** *f.*, evidence, proof.
**evitar,** to avoid, to shun.
**exactitud,** *f.*, exactness, accuracy.
**exacto, –a,** exact, just, fair, right.
**exaltación,** *f.*, exaltation, ecstacy.
**excelencia,** *f.*, excellence, elegance, nicety.
**excelente,** excellent, fine, elegant, nice, rich.
**excepción,** *f.*, exception.
**excesivo, –a,** excessive, immoderate.
**exceso,** *m.*, excess, abundance.
**excusa,** *f.*, excuse, apology.
**excusar,** to excuse, to pardon, to allow, to permit.
**exigencia,** *f.*, demand, request, necessity, want.
**exigente,** exacting, punctual.
**exigir,** to demand, to require, to exact.
**existencia,** *f.*, existence, life.
**existir,** to exist, to live, to be.
**éxito,** *m.*, success, exit, departure.
**explicación,** *f.*, explanation.
**explicar,** to explain, to show, to demonstrate.
**explorar,** to explore, to try, to see.
**explotar,** to exploit, use, utilize.
**explosión,** *f.*, explosion.
**expresión,** *f.*, expression, declaration, opinion.
**exquisito, –a,** exquisite, excellent, elegant, nice, fine, rich.
**extender,** to extend, to stretch, to reach, to spread.
**exterior,** exterior, outside.
**extinguir,** to extinguish, to put out, to kill.
**extrañar,** to wonder, to alienate, to censure.
**extraño, –a,** strange, curious, extraordinary.
**extraordinario, –a,** extraordinary, strange, curious, odd, uncommon.

## F

**fábrica,** *f.*, fabric, frame.
**fábula,** *f.*, fable, story, rumor.
**fácil,** easy, light, frail.
**facilidad,** *f.*, facility, ease.
**facilitar,** to facilitate, to make easy.
**factor,** *m.*, factor, agent.
**facultad,** *f.*, faculty, power.
**falseado, –a,** false, faulty.
**falso, –a,** false, untrue, perfidious.
**falta,** *f.*, fault, mistake, error.
**faltar,** to lack, to want, to need, to commit a fault, to fail.

**fallo,** *m.*, judgment, decision, decree.
**fama,** *f.*, fame, honor, reputation.
**familia,** *f.*, family.
**familiar,** familiar, common, domestic, known.
**famoso, -a,** famous, renowned.
**fámulo,** *m.*, servant, slave.
**fanal,** *m.*, lantern, light-house.
**fango,** *m.*, mire, mud, filth.
**fantasía,** *f.*, fancy, fantacy, imagination, whim, conceit.
**fantástico, -a,** fantastic, fanciful.
**fatal,** fatal, mortal.
**favor,** *m.*, favor; **por favor,** please.
**faz,** *f.*, face, looks, countenance.
**fe,** *f.*, faith, belief.
**febril,** febrile, weak.
**febrilmente,** trembling, with a trembling hand.
**fecundo, -a,** fecund, abundant, fruitful, prolific.
**felicidad,** *f.*, happiness, success.
**felicitar,** to congratulate.
**feliz,** happy, fortunate, prosperous.
**feo, -a,** ugly, deformed, hideous.
**fervor,** *m.*, fervor, zeal, courage.
**fecha,** *f.*, date.
**fiar,** to trust, to place confidence, to lend.
**ficción,** *f.*, fiction, vision.
**fidelidad,** *f.*, fidelity, honesty.
**fiebre,** *f.*, fever, heat.
**fiel,** honest, faithful, true.
**fiera,** *f.*, wild beast.
**fierro,** *m.*, iron, brand.
**figura,** *f.*, figure, form.
**figurar,** to figure, to imagine, to consider, to believe.
**fijamente,** fixedly, with attention.
**fijar,** to fix, to gaze, to fasten.
**fijo, -a,** fixed, firm, permanent.
**filosofía,** *f.*, philosophy.
**filósofo,** *m.*, philosopher.
**fin,** *m.*, end, conclusion.
**final,** final, last, ultimate.
**final,** *m.*, end, conclusion.
**fingir,** to feign, to pretend.
**fino, -a,** fine, pure, perfect, elegant.
**finura,** *f.*, finery, purity.
**firma,** *f.*, sign, name, signature.
**firmar,** to sign, to subscribe.
**firme,** firm, solid, strong.
**firmeza,** *f.*, firmness, stability.
**físico, -a,** physical, bodily.
**flegma,** *f.*, phlegm.
**flema,** *f.*, phlegm, coolness.
**florentino, -a,** Florentine.
**flotante,** floating, wandering, erring, flying.
**flotar,** to wander, to hover, to err, to fly about.
**flujo,** *m.*, flow, flux, motion.
**foco,** *m.*, focus.
**fondo,** *m.*, bottom, ground; **á —,** at heart, really, deeply.
**forjar,** to forge, to frame, to make, to bring forth.
**forma,** *f.*, form, shape.
**formal,** formal, regular, proper, real, serious.

**formalidad,** *f.*, formality, seriousness, exactness.
**formar,** to form, to shape, to make.
**foro,** *m.*, hall; background of a stage.
**fortaleza,** *f.*, strength, fortitude.
**fortificar,** to fortify, to strengthen.
**fortitud,** *f.*, strength, fortitude.
**fortuna,** *f.*, fortune, luck, success.
**forzar,** to force, to compel, to constrain.
**forzoso, -a,** necessary, needful, requisite.
**fotografía,** *f.*, photograph, picture.
**frac,** *m.*, frock-coat, dress-coat; **de —,** in fun.
**frágil,** fragile, weak, frail.
**fragmento,** *m.*, fragment, piece.
**fragua,** *f.*, forge, place of intrigue, mass of intrigues.
**franco, -a,** frank, open, free, liberal.
**franqueza,** *f.*, frankness, liberty, generosity.
**frase,** *f.*, phrase, expression.
**fraternal,** fraternal, brotherly.
**fraude,** *m.*, fraud, deceit.
**frecuencia,** *f.*, frequency.
**frecuentar,** to frequent, to visit often, to haunt.
**frecuente,** frequent, often.
**frente,** *f.*, brow, forehead, face.
**fríamente,** coldly, coolly, stupidly.
**fruto,** *m.*, fruit, offspring.
**fuego,** *m.*, fire, flame.
**fuente,** *f.*, spring, fountain, source.
**fuera,** out, without, outside, away, out of the way.
**fuerte,** strong, able, vigorous.
**fuerza,** *f.*, strength, force, vigor.
**fugaz,** fugacious, fugitive.
**fundir,** to frame, to build, to fuse, to unite, to melt.
**funesto, -a,** sad, mournful, tragic.
**furia,** *f.*, fury, anger, madness.
**furioso, -a,** furious, mad, crazy.
**furor,** *m.*, anger, wrath, fury, madness.
**furtivamente,** furtively, secretly, thievishly.
**futuro,** *m.*, future.
**futuro, -a,** future.

## G

**gabinete,** *m.*, cabinet, room, study room.
**gallardo, -a,** bold, valiant, gallant.
**gana,** *f.*, desire, wish, strong desire.
**ganar,** to earn, to win, to gain.
**garganta,** *f.*, throat, neck.
**garra,** *f.*, rag, tatter, claw.
**gemir,** to groan, to moan, to grieve.
**general,** general, manifold, popular.
**generoso, -a,** generous, frank, open-hearted, kind.
**genio,** *m.*, genius, face, looks, character.
**gente,** *f.*, people, nation.
**gentileza,** *f.*, gentility, civility.
**gigantesco, -a,** gigantic, giantlike.

**girar,** to turn, to whirl, to hover.
**giro,** *m.*, gyre, circular movement, menace, threat; circulation of money.
**globo,** *m.*, globe, earth.
**gloria,** *f.*, glory, heaven, honor, fame.
**gobernar,** to govern, to rule, to guide.
**golpe,** *m.*, stroke, blow.
**golpear,** to strike, to beat, to hit, to whip.
**gota,** *f.*, drop; gout.
**gozar,** to enjoy, to rejoice.
**gozo,** *m.*, joy, pleasure, mirth.
**grabar,** to engrave, to grave, to picture.
**gracejo,** *m.*, jest, mirth, wit, pleasing way.
**gracia,** *f.*, grace, favor, pardon; **-s,** thank you; **tener -s,** to be accomplished; **que —,** a fine thing, a wonder.
**gracioso, -a,** graceful, beautiful, witty, funny.
**grande,** large, great, big, famous, grand, majestic.
**grano,** *m.*, grain, morsel, piece.
**gratis,** gratis, free, for nothing.
**gratitud,** *f.*, gratitude, benevolence, gratefulness.
**grato, -a,** pleasing, pleasant, grateful.
**grave,** grave, serious; heavy, mortal.
**griego, -a,** Greek, Grecian.
**gritar,** to cry, to exclaim, to yell.
**grito,** *m.*, cry, lamentation, hoot, scream.
**grupo,** *m.*, group, assemblage.
**guapo, -a,** brave, bold, clever, gay.
**guardar,** to guard, to defend, to keep, to save, to put away.
**guerra,** *f.*, war, warfare, quarrel.
**guía,** *m.* and *f.*, guide, sign.
**gustar,** to like, to wish, to enjoy, to be pleased with.
**gusto,** *m.*, wish, desire, taste, pleasure, liking; **dar—,** to please, to gratify.

## H

**haber,** to have; to be.
**haber,** *m.*, income, money.
**hábil,** dexterous, able, helpful.
**hablar,** to speak, to talk, to reason.
**hacedor,** *m.*, maker, creator.
**hacer,** to do, to make, to form; **— que,** to feign; **— caso de,** to pay attention to.
**hacia,** towards, about, near.
**hallar,** to find, to meet with, to discover.
**harto,** enough, sufficient.
**hasta,** as far as, until.
**hay,** there is, there are. **(haber).**
**hecho, -a,** made, used, accustomed.
**hecho,** *m.*, deed, event, incident.
**helar,** to freeze, to congeal, to astound.
**herida,** *f.*, wound, injury.
**herir,** to wound, to hurt, to offend.
**hermana,** *f.*, sister.

**hermanazgo,** *m.*, fraternity, brotherhood.
**hermano,** *m.*, brother.
**hermoso, -a,** nice, beautiful, neat, fine, handsome.
**hermosura,** *f.*, beauty.
**héroe,** *m.*, hero.
**heroico, -a,** heroic, heroical, brave.
**hervidero,** ebullition, multitude, large number.
**hervor,** *m.*, ebullition, fervor, heat, vigor.
**hidalguía,** *f.*, nobleness, nobility.
**hierro,** *m.*, iron.
**hijo,** *m.*, son, boy.
**hilo,** *m.*, thread, wire.
**hipócrita,** *m.*, hypocrite.
**hipócrito, -a,** hypocritical.
**histérico, -a,** hysteric, hysterical.
**historia,** *f.*, history, story, tale.
**hogar,** *m.*, house, home, hearth.
**hoja,** *f.*, leaf, page.
**hola,** holla !, ho !.
**hombre,** *m.*, man, husband, mankind.
**hombro,** *m.*, shoulder.
**honestidad,** *f.*, honesty, modesty.
**honesto, -a,** honest, sincere, honorable.
**honor,** *m.*, honor, duty, dignity, character, reputation.
**honra,** *f.*, honor, respect, fame, glory, reverence.
**honrado, -a,** honored, respected, honorable, famous.
**hora,** *f.*, hour, time.
**horrible,** horrible, terrible, frightful.
**horror,** *m.*, horror, terror, fright.
**horrorizar,** to horrify, to frighten.
**hostil,** hostile, inimical, unfriendly.
**hoy,** to-day, this day.
**huir,** to flee, to escape, to fly.
**humano, -a,** human, humane, kind.
**humildad,** *f.*, humility, modesty.
**humilde,** humble, meek.
**humillación,** *f.*, humiliation.
**humillante,** humiliating.
**humillar,** to humble, to abject, to lower, to crush.
**humo,** *m.*, smoke, vapor.
**humor,** *m.*, humor, temper, nature.
**hundir,** to sink, to crush, to submerge, to hide.

## I

**ida,** *f.*, departure.
**idea,** *f.*, idea, thought, notion.
**ideal,** ideal, mental, imaginary.
**idiota,** *m.*, idiot, fool.
**ido,** gone. (**ir**).
**ignoble,** ignoble.
**ignorancia,** *f.*, ignorance, folly.
**ignorante,** ignorant, stupid.
**ignorar,** to ignore, to be ignorant of, not to know.
**igual,** equal, similar, even, level, same.
**igualdad,** *f.*, equality, likeness.
**igualmente,** equally, evenly.
**ilegal,** illegal, unlawful.
**ilegítimo, -a,** illegitimate, illegal.
**ilícito, -a,** illicit, unlawful.
**iluminación,** *f.*, illumination.

**iluminar,** to illumine, to lighten, to enlighten.
**ilusión,** *f.*, illusion, appearance.
**imagen,** *f.*, image, figure.
**imaginación,** *f.*, imagination, fancy.
**imaginar,** to imagine, to conceive, to fancy.
**imán,** *m.*, charm, attraction.
**imbécil,** feeble, weak, imbecile.
**impaciente,** impatient, restless.
**impalpable,** impalpable.
**impedir,** to hinder, to obstruct, to prevent, to impede.
**imperativo, -a,** imperative, commanding.
**imperfecto, -a,** imperfect, faulty.
**imperioso, -a,** imperious, arrogant.
**impertinencia,** *f.*, impertinence, nonsense.
**ímpetu,** *m.*, impetus, violent effort, impulse, start.
**impetuoso, -a,** impetuous, impulsive, violent.
**impío, -a,** impious, profane, wicked.
**implorar,** to implore, to solicit, to beg, to entreat.
**imponer,** to lay, to put, to set, to impose, to charge upon.
**importancia,** *f.*, importance.
**importante,** important, momentous, considerable.
**importar,** to import, to be of importance or necessity, to be convenient.
**importunar,** to importune, to disturb.
**importuno, -a,** importune.
**imposible,** impossible.
**imposible,** *m.*, impossible, that which cannot be done.
**impotencia,** *f.*, impotence, weakness.
**impotente,** impotent, powerless.
**impresión,** *f.*, impression.
**improbable,** improbable.
**impropio, -a,** improper, unfit.
**imprudencia,** *f.*, imprudence, indiscretion.
**imprudente,** imprudent, indiscreet.
**impudencia,** *f.*, impudence, arrogance, audacity, immodesty.
**impudente,** impudent, shameless.
**impulso,** *m.*, impulse, force.
**impureza,** *f.*, impurity, dishonesty.
**impuro, -a,** impure, unchaste, foul.
**imputar,** to impute, to charge upon, to attribute.
**incapaz,** incapable, unable.
**incendio,** *m.*, fire, conflagration.
**incidente,** *m.*, incident, occurence.
**incierto, -a,** uncertain, untrue, false.
**incitar,** to excite, to stimulate.
**inclinación,** *f.*, inclination, desire.
**inclinar,** to incline, to bend, to lean, to be favorable to.
**incluir,** to include, to embrace.
**inclusa,** *f.*, foundling-hospital.
**incomodar,** to trouble, to worry.
**incómodo, -a,** inconvenient, uneasy.
**incompleto, -a,** incomplete, imperfect.
**inconveniente,** inconvenient, troublesome.

**incorporar,** to incorporate, to unite; *refl.:* to sit up in bed, to sit up.
**incorrecto, -a,** incorrect, untrue.
**indecencia,** *f.*, indecency, nuisance.
**indecente,** indecent, dishonest.
**independiente,** independent, free.
**indicar,** to indicate, to point out, to show.
**indiferencia,** *f.*, indifference, neglect.
**indiferente,** indifferent, neutral.
**indignación,** *f.*, indignation.
**indignar,** to irritate, to provoke, to offend.
**indignidad,** *f.*, indignity, passion.
**indigno, -a,** unworthy, unbecoming, disgraceful.
**indirecto, -a,** indirect.
**indiscreto, -a,** indiscreet, imprudent.
**indiscutible,** indisputable.
**individuo,** *m.*, individual, person.
**índole,** *f.*, disposition, temper, humor.
**inducir,** to induce, to persuade, to allure.
**inerte,** inert, powerless.
**infamar,** to defame, to slander, to dishonor.
**infame,** infamous, wretched.
**infamia,** *f.*, infamy, disgrace.
**infancia,** *f.*, infancy, beginning.
**infeliz,** unhappy, unfortunate, miserable.
**inferior,** inferior, lower, subject.
**infiel,** faithless, disloyal, infidel.
**infierno,** *m.*, hell.
**infinito, -a,** infinite, endless, immense.
**infinito,** *m.*, infinite.
**inflamar,** to inflame, to irritate.
**influjo,** *m.*, influence, suggestion, help.
**información,** *f.*, information, news.
**informar,** to inform, to instruct, to find out.
**informe,** shapeless, huge, formless.
**ingenio,** *m.*, genius, ability; device.
**inglés, -a,** English.
**ingratitud,** *f.*, ingratitude, cruelty.
**ingrato, -a,** ungrateful, cruel, harsh.
**injuria,** *f.*, injury, insult, offence.
**injuriar,** to injure, to offend, to wrong.
**injusticia,** *f.*, injustice, wrong.
**injusto, -a,** unjust, wrong, unfair.
**inmaculado, -a,** immaculate, pure.
**inmenso, -a,** immense, great, vast.
**inmortal,** immortal, endless.
**inmóvil,** immovable, fixed.
**inocencia,** *f.*, innocence, sincerity.
**inocente,** innocent, pure, guiltless.
**inquieto, -a,** uneasy, restless, anxious.
**insensato, -a,** stupid, mad.
**insigne,** great, noted, notable.
**insignificante,** insignificant, worthless.
**insípido, -a,** insipid, unpleasant.
**insolencia,** *f.*, insolence, impudence.
**insolente,** insolent, impudent.

**inspiración,** *f.*, inspiration.
**inspirar,** to inspire.
**instante,** *m.* instant, moment.
**instintivo, -a,** instinctive.
**instinto,** *m.*, instinct, impulse.
**insultar,** to insult, to offend.
**insulto,** *m.*, insult, offence, wrong.
**inteligencia,** *f.*, intelligence, knowledge.
**intención,** *f.*, intention, purpose.
**intenso, -a,** intense, strong.
**interés,** *m.*, interest, advantage.
**interesante,** interesting, attractive.
**interesar,** to interest, to be of interest.
**interno, -a,** internal, interior, inner.
**interrumpir,** to interrupt, to hinder.
**íntimo, -a,** intimate, close.
**inundar,** to inundate, to overflow.
**inútil,** useless, powerless.
**invención,** *f.*, invention.
**inventar,** to invent, to make up.
**inverosímil,** unlike, improbable.
**invisible,** invisible.
**ir,** to go, to move, to walk.
**ira,** *f.*, ire, wrath, anger, passion.
**ironía,** *f.*, irony.
**irse,** to go, to depart; **—á la mano,** to restrain one's self.
**irregular,** irregular, disorderly.
**irritante,** irritating, offensive, annoying.
**irritar,** to irritate, to provoke, to offend.
**italiano, -a,** Italian, of Italy.
**izquierda,** *f.*, left hand, left.
**izquierdo, -a,** left, sinister, left-handed.

## J

**jamás,** never, at no time.
**jornada,** *f.*, journey, occasion, opportunity, day's work.
**jota,** *f.*, letter j; jot, iota.
**joven,** young, youthful.
**joven,** *m.* and *f.*, young man or young woman.
**jugar,** to play, to joke.
**juicio,** *m.*, judgment, sense.
**juntar,** to unite, to join, to bring together.
**juntito, -a,** very close together.
**junto, -a,** near, close, together, close by.
**juramento,** *m.*, oath, curse, affirmation.
**jurar,** to swear, to affirm, to take oath.
**justicia,** *f.*, justice, right, duty.
**justo, -a,** just, right, exact, fair, rightful, true.
**juventud,** *f.*, youth, youthfulness.
**juzgar,** to judge, to decide, to consider.

## L

**la,** the.
**la,** it, her.
**labio,** *m.*, lip.
**lado,** *m.*, side, edge, border.
**lágrima,** *f.*, tear.

**lamentar,** to lament, to mourn, to moan.
**lamento,** *m.*, lamentation, mourning, groaning. [quarrel.
**lance,** *m.*, chance, accident, fight,
**lanzar,** to hurl, to dash.
**largo, -a,** long, big, free, liberal.
**lástima,** *f.*, pity, compassion, grief.
**lastimar,** to pity, to grieve, to hurt.
**lastimero, -a,** sad, doleful, mournful, lamentable.
**lastimoso, -a,** doleful, sad.
**latido,** *m.*, beating, palpitation.
**latir,** to beat, throb.
**lazo,** *m.*, tie, bond.
**le,** him, her, to him, to her.
**leal,** true, loyal, faithful.
**lealtad,** *f.*, loyalty, fidelity.
**lecho,** *m.*, bed, couch.
**lectura,** *f.*, reading, lecture.
**leer,** to read.
**legítimo, -a,** legitimate, true, legal.
**lejos,** at a distance, far off.
**lengua,** *f.*, tongue, language.
**lentamente,** slowly.
**lente,** slow, moderate.
**letra,** *f.*, letter (of the alphabet); figure, number. [up.
**levantar,** to lift, to elevate, to pick
**levantarse,** to rise, to get up.
**liberal,** liberal, free, generous.
**libertad,** *f.*, liberty, freedom.
**libre,** free, independent, exempt.
**libro,** *m.*, book.
**lid,** *m.*, conflict, struggle, fight.
**lienzo,** *m.*, linen, cloth.
**ligar,** to tie, to press, to unite.
**ligereza,** *f.*, indiscretion, speed.
**limitar,** to limit, to bound, to confine to bounds, to restrain.
**limite,** *m.*, limit, boundary.
**limosna,** *f.*, alms, charity.
**limpio, -a,** clean, nice, neat.
**línea,** *f.*, line, shadow, way.
**lisonjero,** *m.*, **-a,** *f.*, flatterer.
**listo, -a,** ready, opportune, intelligent.
**literario, -a,** literary, of letters.
**liviano, -a,** light, easy, unchaste.
**loco, -a,** crazy, mad, furious.
**locura,** *f.*, madness, craziness.
**lodo,** *m.*, mud, mire, filth.
**lógica,** *f.*, logic, reasoning.
**lograr,** to obtain, to save, to arrive, to succeed in.
**lucha,** *f.*, struggle, combat.
**luchar,** to struggle, to fight, to discuss.
**lucir,** to gleam, to glisten, to brighten, to shine.
**luego,** then, immediately, at once, presently; **desde—,** therefore, hence. [gance.
**lujo,** *m.*, luxury, finery, extrava-
**lujoso, -a,** luxurious, splendid, rich, elegant. [glaring.
**luminoso, -a,** luminous, bright,
**luz,** *f.*, light, flame, fire.

## Ll

**llama,** *f.*, flame, fire.
**llamar,** to call, to name, to ask for, to knock.
**llano, -a,** plain; clear, evident; **es—,** of course, it is evident.
**llanto,** *m.*, weeping, lamentation,

**llegar,** to come, to arrive, to reach, to succeed in.
**llenar,** to fill, to cover.
**llevar,** to take, to carry, to transport, to convey.
**llorar,** to cry, to weep, to lament.
**lloroso, -a,** weeping, crying, tearful.

## M

**madre,** *f.*, mother.
**maestro,** *m.*, master, teacher, professor.
**Magdalena,** *f.*, Magdalen.
**magnífico, -a,** magnificent, splendid.
**magnitud,** *f.*, magnitude, greatness.
**majestad,** *f.*, majesty, dignity.
**mal,** bad, badly.
**mal,** *m.*, evil.
**maldad,** *f.*, wickedness, iniquity.
**maldecido, -a,** cursed, wretched.
**maldecir,** to curse, to accurse.
**maldición,** *f.*, malediction, curse.
**maldito, -a,** cursed, wicked, perverse.
**malicia,** *f.*, malice, suspicion.
**maliciar,** to suspect, to corrupt.
**maligno, -a,** malignant, evil.
**malo, -a,** bad, ill, wicked, perverse.
**malvado, -a,** malicious, wicked, insolent.
**mancebo,** *m.*, youth, young man.
**mancilla,** *f.*, small stain, blemish.
**mancha,** *f.*, stain, spot.
**manchar,** to stain, to soil, to corrupt.
**mandar,** to order, to command, to ordain; to send, to give.
**mandato,** *m.*, command, order.
**manejar,** to manage, to conduct.
**manejo,** *m.*, management; intrigue.
**manera,** *f.*, manner, way, means.
**manía,** *f.*, mania, frenzy, madness.
**manifestación,** *f.*, manifestation.
**manifestar,** to manifest, to show, to exhibit, to discover.
**mano,** *f.*, hand; **bajo —,** secretly; **— á —,** hand to hand, alone; **á dos —s,** willingly, with anxiety.
**mansamente,** gently.
**manso, -a,** tame, meek, gentle.
**manta,** *f.*, mantle, blanket.
**mantenencia,** *f.*, maintenance, support.
**mantener,** to maintain, to support, to keep.
**manto,** *m.*, mantle, veil.
**manuscrito,** *m.*, manuscript, writing.
**maña,** *f.*, trick, way, skill, craft.
**mañana,** *f.*, morning, forenoon; to-morrow; **de —,** early.
**maquinalmente,** mechanically.
**mar,** *f.* and *m.*, sea, ocean.
**maravilla,** *f.*, wonder, admiration.
**marca,** *f.*, mark, sign, brand.
**marcar,** to mark, to designate, to note, to observe.

**marco,** *m.*, picture-frame, frame.
**marchar,** to march, to depart, to go.
**margen,** *f.*, margin, border, edge.
**marido,** *m.*, husband.
**mármol,** *m.*, marble, stone.
**martirio,** *m.*, martyrdom.
**más,** more.
**mas,** but, yet.
**masa,** *f.*, mass, collection.
**matar,** to kill, to murder, to put to death.
**materia,** *f.*, matter, substance; subject, question.
**matiz,** *m.*, shade of colors, variety of colors, variegated scene.
**mayor,** greater, larger, older, superior.
**me,** me, to me.
**medalla,** *f.*, medal.
**medallón,** *m.*, large medal, medallion.
**mediador,** *m.*, mediator, intercessor.
**medianero,** *m.*, mediator, go-between, third person; rascal.
**medida,** *f.*, measure, height, proportion.
**medio, -a,** half, in part.
**medio,** *m.*, half; middle, center; way, means; medium.
**meditar,** to meditate, to consider, to think.
**mejilla,** *f.*, cheek.
**mejor,** better.
**mejorar,** to improve, to grow better.
**memoria,** *f.*, memory, recollection; fame, glory; account, memoir.
**mencionar,** to mention, to name.
**menester,** necessary, needful.
**menguado, -a,** cowardly; diminished.
**menguado,** *m.*, coward, silly fellow.
**menguar,** to decrease, to diminish.
**menos,** less; **á lo —**, at least; **á — que,** unless.
**mente,** *f.*, mind, sense, disposition.
**mentir,** to lie, to frustrate, to deceive.
**mentira,** *f.*, lie, falsehood, error.
**merecer,** to deserve, to merit.
**mérito,** *m.*, merit, virtue.
**mes,** *m.*, month.
**mesa,** *f.*, table.
**meter,** to put, to place, to make
**método,** *m.*, method, manner, way.
**mezcla,** *f.*, mixture, mingling.
**mezclar,** to mix, to associate, to mingle.
**mi,** my.
**mí,** me, to me.
**miasma,** *f.*, miasm, miasma.
**miedo,** *m.*, fear, dread; **tener —,** to be afraid.
**mil,** thousand.
**milagro,** *m.*, miracle, wonder.
**mimo,** m., care, fondness, longing care.
**minar,** to ruin, to destroy.
**ministro,** *m.*, minister, agent, clerk.
**minuto,** *m.*, minute, moment.

**mío,** my, mine.
**mirada,** *f.*, glance, gaze, look.
**mirar,** to look, to see, to observe, to look for.
**misántropo,** *m.*, misanthropist.
**miserable,** miserable, wretched.
**miseria,** *f.*, misery, wretchedness.
**misericordia,** *f.*, mercy, clemency.
**mísero, -a,** wretched, miserable.
**mismo, -a,** same, equal, similar, self, like.
**misterio,** *m.*, mystery.
**místico, -a,** mystic, mystical.
**mitad,** *f.*, half.
**mitológico, -a,** mythologic.
**modelo,** *m.*, model, example.
**moderno, -a,** modern, late, new.
**modestia,** *f.*, modesty, shame.
**modesto, -a,** modest, decent, chaste.
**modo,** *m.*, way, means, manner.
**mofa,** *f.*, mockery, ridicule.
**mollera,** *f.*, top of head; brain, head.
**momento,** *m.*, moment; **al —**, immediately, at once.
**monotonía,** *f.*, monotony.
**monótono, -a,** monotonous.
**monstruo,** *m.*, monster.
**monstruosidad,** *f.*, monstruosity.
**montaña,** *f.*, mountain, hill.
**monte,** *m.*, mountain, hill.
**montón,** *m.*, heap, pile, gathering.
**monumento,** *m.*, monument.
**moral,** moral.
**moribundo, -a,** dying, expiring.
**morir,** to die, to expire, to perish.
**mortal,** mortal, fatal, deadly.
**mortal,** *m.*, mortal, human being.
**mostrar,** to show, to exhibit, to point out, to explain.
**motivo,** *m.*, motive, reason, cause.
**mover,** to move; to persuade to stir, to excite.
**movible,** movable.
**movimiento,** *m.*, movement.
**mozo,** *m.*, youth, young man, lad.
**muchacho,** *m.*, boy, youth.
**mucho, -a,** much; long, often, great, very.
**mudar,** to change, to remove, to alter.
**mudo, -a,** silent, still, speechless.
**muebles,** *m.*, furniture.
**muerte,** *f.*, death, murder; **á — ó vida,** at all risks.
**muerto, -a,** dead, lifeless. (**morir.**)
**mujer,** *f.*, woman, lady, wife.
**multitud,** *f.*, multitude, great number.
**mundano, -a,** worldly, common.
**mundo,** *m.*, world, earth, globe.
**muñeco,** *m.*, puppet.
**murmullo,** *m.*, murmur, muttering.
**murmuración,** *f.*, murmur, slander, calumny.
**murmurador,** murmuring, slandering.
**murmurar,** to murmur, to slander, to backbite.
**muy,** quite, very; greatly.

## N

**nacer,** to be born, to arise, to come, forth, to begin, to rise.
**nada,** *f.*, nothing, nothingness.
**nadie,** no one, nobody, none, anyone.
**natural,** natural, native, usual.
**naturaleza,** *f.*, nature, virtue.
**naturalidad,** *f.*, naturalness, sincerity, candor.
**necesario, -a,** necessary, needful.
**necesidad,** *f.*, necessity, need.
**necesitar,** to need, to want, to lack.
**necio,** *m.*, ignorant, fool, stupid.
**negar,** to deny, to refuse, to forbid.
**negocio,** *m.*, business, affair, case.
**negro, -a,** black, obscure.
**negrura,** *f.*, darkness, obscurity.
**nerviosamente,** nervously, excitedly.
**nervioso, -a,** nervous; vigorous, [bold.
**ni,** neither, nor.
**ninguno,** none, no one, nobody, neither.
**niña,** *f.*, child, girl.
**niña,** *f.*, pupil, apple of the eye
**niñez,** *f.*, childhood.
**niño,** *m.*, child, boy.
**no,** no, nay, not; **—sea que,** lest.
**noble,** noble, generous, respectable.
**nobleza,** *f.*, nobility, nobleness, dignity, worth.
**noche,** *f.*, night, evening; **es de —,** it is night.
**nocturno, -a,** nightly, nocturnal.
**nombrar,** to name, to appoint, to elect, to mention by name.
**nombre,** *m.*, name, fame, credit.
**nos,** us, to us.
**nosotros, -as,** we, ourselves.
**notar,** to notice, to observe, to perceive.
**noticia,** *f.*, notice; information, saying, report.
**nube,** *f.*, cloud, mist.
**nuestro, -a,** our, ours.
**nuevo, -a,** new, recent, modern.
**numen,** *m.*, deity, divinity, talent.
**número,** *m.*, number, count.
**nunca,** never, at no time.
**nutrir,** to nourish, to maintain, to supply.

## O

**ó,** or, either.
**o,** oh, alas.
**obedecer,** to heed, to obey, to yield.
**obediencia,** *f.*, obedience, submissiveness.
**obediente,** obedient, submissive.
**objeto,** *m.*, object, purpose, end.
**obligación,** *f.*, obligation, duty.
**obligar,** to oblige, to compel, to bind.
**obra,** *f.*, work, task, virtue.
**obrar,** to work, to act, to do.
**obscuridad,** *f.*, obscurity, darkness.
**obscuro, -a,** obscure, dark, gloomy.
**observación,** *f.*, observation.
**observar,** to notice, to observe, to regard.
**obtener,** to obtain, to get, to procure.

**ocasión,** *f.*, occasion, opportunity.
**océano,** *m..* ocean, sea.
**ocioso, -a,** lazy, idle, curious.
**ocultar,** to conceal, to hide.
**oculto, -a,** hidden, occult, secret.
**ocupar,** to occupy, to hold, to have; — **ocuparse de,** to meddle with.
**ocurrir,** to happen, to occur, to meet.
**odiar,** to hate, to abhor, to detest.
**odio,** *m.*, hatred, detestation.
**ofender,** to offend, to insult, to hurt, to slander, to harm.
**ofensa,** *f.*, offense, injury, insult.
**oficio,** *m.*, business, affair; idea.
**oído,** *m.*, ear, sense of hearing.
**oír,** to hear, to listen.
**ojén,** *m.*, wine from Ojen.
**ojo,** *m.*, eye, eyesight
**ola,** *f.*, wave; flood.
**olvidar,** to forget, to neglect, to omit. [neglect.
**olivido,** *m.*, forgetfulness, oblivion,
**ɔpinar,** to judge, to argue, to opine.
**opinión,** *f.*, opinion, judgment
**oponer,** to oppose; *refl.*: to go against.
**oportunidad,** *f.*, opportunity, occasion.
**oportuno, -a,** opportune, convenient.
**oprimir,** to oppress, to crush.
**optimismo,** *m.*, optimism.
**óptimo, -a,** best, finest.
**orar,** to pray, to ask, to argue.
**orden,** *m.*, order, command, mandate.
**ordenar,** to order, to ordain, to command.
**orgullo,** *m.*, pride, haughtiness, arrogance.
**orgulloso, -a,** proud, conceited, arrogant, insolent.
**origen,** *m.*, origin, source, beginning.
**oro,** *m.*, gold, money.
**os,** you, to you, yourselves.
**osadía,** *f.*, daring, boldness, arrogance, impudence.
**osado, -a,** daring, bold, courageous.
**osar,** to dare, to fancy, to venture.
**oscurecer,** to darken, to grow dark.
**oscuridad,** *f.*, obscurity, darkness.
**oscuro, -a,** dark, obscure, gloomy.
**ostentación,** *f.*, ostentation, show.
**ostentar,** to show, to boast, to brag.
**otro, -a,** other, another.

## P

**paciencia,** *f.*, patience, endurance.
**pactar,** to agree, to pledge, to contract.
**padre,** *m.*, father.
**padrino,** *m.*, god-father; second.
**pagar,** to pay, to discharge, to acquit, to please.
**palabra,** *f.*, word.
**palacio,** *m.*, palace.

**palco,** *m.*, scaffold; box in a theatre.
**pálido, -a,** pale, white, ghastly.
**panorama,** *m.*, panorama, view.
**pañuelo,** *m.*, handkerchief, cloth.
**papá,** *m.*, papa.
**papel,** *m.*, paper, part, character.
**para,** for, to, as, for the purpose.
**parar,** to stop, detain, check; **pararse,** to stop, be detained.
**parecer,** to appear, to seem, to like.
**parecer,** *m.*, opinion, judgment.
**pared,** *f.*, wall.
**pariente,** *m.*, relation, relative.
**parlamento,** *m.*, parley, speech, harangue, talk.
**parte,** *f.*, part, division.
**partida,** *f.*, departure, going.
**partir,** to go, to depart; to divide.
**pasado,** *m.*, past, olden times.
**pasaje,** *m.*, passage, transition.
**pasar,** to pass, to cross.
**pasatiempo,** *m.*, pastime, diversion.
**pasear,** to stroll, to go for a walk.
**pasión,** *f.*, passion, desire, anger.
**pasmar,** to swoon, to stupefy.
**pausa,** *f.*, pause.
**paz,** *f.*, peace, rest, quiet.
**pecado,** *m.*, sin.
**pecar,** to sin, to commit excesses.
**pecho,** *m.*, breast, conscience, heart.
**pedazo,** *m.*, piece, morsel.
**pedir,** to ask, to petition, to beg, to demand.
**pegar,** to whip, to beat, to stick, to join, to unite.
**peligro,** m., danger, peril, risk.
**pellejo,** *m.*, skin, cutis; **tira de—,** pinch, pinching.
**pena,** *f.*, danger, sorrow, grief.
**penetración,** *f.*, insight, penetration.
**penoso, -a,** painful, sorrowful, risky, dangerous.
**pensamiento,** *m.*, thought, idea.
**pensar,** to think, to consider, to believe.
**pensativo, -a ,** thoughtful.
**peor,** worse.
**pequeño, -a,** small, little.
**percibir,** to perceive, to notice, to see, to observe.
**perder,** to lose, to miss, to suffer.
**perdición,** *f.*, perdition, loss.
**perdiz,** *f.*, partridge.
**perdón,** *m.*, pardon, excuse.
**perdonar,** to pardon, to excuse, to forgive.
**perfección,** *f.*, perfection.
**perfecto, -a,** perfect, excellent.
**perjurar,** to affirm, swear.
**permanecer,** to remain, to stay, to last, to endure.
**permanencia,** *f.*, permanence, duration, stay.
**permiso,** *m.*, permission, licence.
**permitir,** to allow, to permit, to agree, to consent.
**perplejo, -a,** perplexed, confused.
**persona,** *f.*, person, individual.
**personaje,** *m.*, personage, character.
**persuadir,** to persuade.
**pesado, -a,** heavy, difficult, burdensome.
**pesar,** to weigh, to be worth, to grieve, to be sorry.
**pésimo, -a,** very bad, worst.

**piadoso, -a,** pious, merciful.
**picado, -a,** angry, offended.
**pícaro, -a,** roguish, rascally, vile.
**pie,** *m.*, foot; **de —,** standing.
**piedad,** *f.*, pity, compassion.
**piedra,** *f.*, stone, rock.
**pintar,** to describe, to outline, to paint.
**piso,** *m.*, floor, story.
**placer,** to please, to like, to gratify.
**placer,** *m.*, pleasure, content.
**plácido, -a,** pleasing, agreeable.
**plan,** *m.*, plan, purpose, outline.
**plano, -a,** clear, level; **de —,** openly, entirely.
**planta,** *f.*, sole of the foot; foot; plant.
**pluma,** *f.*, feather; pen.
**pobre,** poor, needy, humble, miserable, wretched.
**pobrecillo,** *m.*, poor little fellow.
**pobreza,** *f.*, poverty, indigence.
**poco, -a,** little, few, some, scanty.
**poco,** *m.*, little, small quantity.
**poder,** to be able, can, may.
**poder,** *m.*, power, force, ability, faculty, authority.
**poderoso, -a,** powerful, strong.
**poema,** *m.*, poem.
**poeta,** *m. and f.*, poet, poetess.
**poner,** to put, to set, to place, to lay,
**ponzoñoso, -a,** poisonous.
**popular,** popular, vulgar, general.
**poquito,** very little.
**por,** for, by, with, through, about.
**pormenor,** *m.*, detail.
**porque,** because, for the reason that.
**por qué,** why, for what reason.
**porqué,** *m.*, reason, why, cause.
**portento,** *m.*, portent, prodigy.
**porvenir,** *m.*, future.
**poseer,** to possess, to have, to hold
**posible,** possible.
**posición,** *f.*, position, post, condition.
**postizo, -a,** artificial, false.
**potencia,** *f.*, power, force.
**potro,** *m.*, wooden rack or horse, torture.
**práctico, -a,** practical, experienced.
**preceder,** to precede, to go before.
**precioso, -a,** precious, valuable.
**precipitar,** to rush, to run, to expose to ruin, to rush to destruction.
**preciso, -a,** necessary, expedient, exact.
**preferible,** preferable.
**preferir,** to prefer.
**pregonero,** *m.*, crier, town-crier.
**pregunta,** *f.*, question, inquiry.
**preguntar,** to ask, to inquire, to demand.
**premio,** *m.*, reward, recompense.
**prenda,** *f.*, pledge, security; jewel, object of love.
**prensa,** *f.*, press.
**preocupar,** to preoccupy, to prejudice.
**preparar,** to prepare, to make ready.
**presa,** *f.*, prey, possession.

**presencia,** *f.*, presence, figure.
**presentar,** to present, to give, to appear, to introduce.
**presentir,** to forebode, to foresee.
**prestar,** to lend, to give, to offer.
**presto,** at once, soon, quickly.
**presumir,** to presume, to suppose, to boast.
**pretender,** to pretend, to feign.
**pretexto,** *m.*, pretext, motive.
**primero, -a,** first, chief; rather, sooner.
**primo,** *m.*, cousin; first.
**principal,** principal, chief.
**principiar,** to begin, to commence.
**principio,** *m.*, source, beginning, element, principle.
**privar,** to deprive, to prohibit.
**privilegio,** *m.*, privilege, right.
**probable,** probable, likely.
**probar,** to prove, to try, to examine, to test.
**problema,** *m.*, problem, task.
**proceder,** to proceed, to go on.
**procurar,** to procure, to try, to make efforts to.
**prodigio,** *m.*, wonder, prodigy.
**producir,** to produce, to bring forth.
**profesar,** to profess, to claim, to assert, to show.
**profundidad,** *f.*, profundity, abyss.
**profundo, -a,** profound, deep, intense.
**prometer,** to promise, to pledge.
**pronunciar,** to utter, to pronounce, to say.
**propio, -a,** proper, fit, becoming; own.
**proseguir,** to follow, to continue.
**protección,** *f.*, protection, shelter.
**protector,** *m.*, protector, guide.
**proteger,** to protect, to assist, to guard, to defend.
**protesta,** *f.*, protest, declaration.
**protestar,** to protest, to claim, to threaten, to declare.
**provecho,** *m.*, advantage, profit, utility, use.
**provechoso, -a,** advantageous, useful, profitable.
**providencia,** *f.*, providence, heaven.
**provocar,** to provoke, to offend, to cause, to bring about.
**proyectar,** to plan, to project, to contrive.
**proyecto,** *m.*, project, plan, act.
**prudencia,** *f.*, prudence, care.
**prudente,** prudent, wise, careful.
**prueba,** *f.*, proof, test, reason.
**público, -a,** public.
**público,** *m.*, public, people.
**pudor,** *m.*, modesty, shame, regard, bashfulness.
**puerta,** *f.*, door, gate.
**pues,** well, then, so, therefore.
**puesto,** put, placed; — **que,** since.
**puesto,** *m.*, post, rank, position.
**puñado,** *m.*, handful, few.
**punta,** *f.*, point, end, top.
**punto,** *m.*, point, view; point, subject; — **de vista,** point of view.
**pupila,** *f.*, pupil, pupil of the eye.

**pureza,** *f.*, purity, chastity.
**puridad,** *f.*, purity, cleanliness, chastity.
**puro, –a,** pure, clear, clean, chaste.

## Q

**que,** *m.*, somewhat, something.
**que,** who, which, what, that, or.
**quebrar,** to break, to burst, to crush, to overcome.
**quedar,** to stay, to remain, to stop, to be.
**queja,** *f.*, complaint, moan, murmur.
**quejarse,** to complain, to clamor, to moan, to groan, to lament.
**quemar,** to burn.
**querer,** to like, to love, to wish, to want, to will, to attempt.
**quicio,** *m.*, hinge; **fuera de—,** besides one's self.
**quien,** who, that, which.
**quién,** who, that, which.
**quieto, –a,** quiet, silent, speechless.
**quinqué,** *m.*, lamp, candle, light.
**quitar,** to take off, to take away, to deprive of, to remove, to go away.
**quizá,** perhaps, maybe.

## R

**rabia,** *f.*, rage, fury.
**raíz,** *f.*, root, foundation, base, origin.
**rango,** *m.*, rank, class, quality.
**rápido, –a,** rapid, quick.
**raro, –a,** rare, scarce; excellent, fine.
**rasgar,** to rend, to tear.
**rastro,** *m.*, vestige, sign.
**rato,** *m.*, while, space of time.
**rayo,** *m.*, ray, ray of light; lightning, thunderbolt.
**rayos,** fury! the deuce!
**razón,** *f.*, reason, motive, cause; **tener —,** to be right.
**razonar,** to reason, to discourse, to allege.
**reacio, –a,** stubborn, obstinate.
**real,** real, actual; royal, grand.
**realce,** *m.*, splendor, lustre, climax.
**realidad,** *f.*, reality, fact, truth.
**realizar,** to realize, obtain.
**realmente,** really, truly, actually.
**rebelde,** rebellious, perfidious, disloyal, stubborn.
**rebeldía,** *f.*, obstinacy, rebellion.
**rebosar,** to abound, to overflow.
**rebozo,** *m.*, secrecy, in concealment.
**recelo,** *m.*, fear, suspicion, jealousy.
**rechazar,** to repel, to push, to decline.
**recibir,** to receive, to accept, to admit.
**recío, –a,** fast, strong; *adv.*: vehemently, loudly, strongly.
**reclamar,** to claim, to reclaim.
**reclamo,** *m.*, claim, call, allurement.
**recoger,** to gather, to pick up, to collect.
**recomendar,** to recommend, to charge.
**recompensa,** *f.*, reward, recompense.
**reconcentrar,** to root, to take root, to concentrate, to dissemble.

**reconocer,** to recognize, to confess, to own, to conceive.
**recordar,** to remember, to remind, to awaken. [examine.
**recorrer,** to run over, to review, to
**recto, -a,** right, exact, straight, honest. [venir.
**recuerdo,** *m.*, remembrance, sou-
**recular,** to step back, to retrograde.
**recurso,** *m.*, recourse, appeal.
**redimir,** to redeem, to rescue.
**redondo, -a,** round, circular.
**reducir,** to reduce, to diminish.
**referir,** to refer, to relate, to report.
**reflejo,** *m.*, reflection, reflex.
**reformar,** to reform, to correct
**refrân,** *m.*, proverb, saying.
**refregar,** to rub, to censure.
**refrenar,** to refrain, to restrain.
**regalar,** to give, to present.
**regalo,** *m.*, present, comfort, pleasure, ease.
**regla,** *f.*, rule, law, precept.
**rehusar,** to refuse, to decline, to deny.
**reina,** *f.*, queen.
**reír,** to laugh, to jest, to sport.
**reiterar,** to repeat, to say again.
**relación,** *f.*, relation, narration.
**rematar,** to finish, to end, to do away with.
**remate,** *m.*, means, end, termination. [assist.
**remediar,** to remedy, to help, to
**remedio,** *m.*, remedy, help.
**remover,** to remove, to take away.
**rencor,** *m.*, rancour, grudge.
**rencoroso, -a,** spiteful, rancorous.
**rendir,** to yield, to subdue, to give up, to subject.
**renegar,** to deny, to swear, to detest.
**reñir,** to quarrel, to fight, to scold.
**renovar,** to renew, to make new.
**renunciar,** to renounce, to give up, to yield, to resign, to abandon.
**reparar,** to repair, to restore; **— en,** to notice, observe.
**repartir,** to divide, to scatter.
**reparto,** *m.*, = **repartimiento,** *m.*, cast, division, characters in a play.
**repente,** *m.*, sudden movement; **de —,** suddenly.
**repesar,** to reweigh.
**repetir,** to repeat, to say again.
**reposar,** to repose, to rest, to be silent.
**representar,** to represent, to show.
**reprimir,** to restrain, to hold back.
**repugnancia,** *f.*, repugnance, aversion. [able.
**repugnante,** repugnant, disagree-
**repulsivo, -a,** repulsive, repugnant.
**reservar,** to reserve, to defer, to guard.
**resignar,** to resign, to yield.
**resistir,** to resist, to oppose, to endure.
**resolver,** to resolve, to determine.
**resonar,** to resound, to echo.
**resorte,** *m.*, spring; medium.
**respectar,** to respect, to honor.
**respecto,** *m.*, respect, regard, honor.
**resplendor,** *m.*, splendor, glory, gleam.

**responder,** to respond, to answer.
**respuesta,** *f.*, answer, response.
**restar,** to remain, to be left.
**resto,** *m.*, remainder, balance.
**restregarse,** to rub or collide against anything.
**resulta,** *f.*, result, effect.
**resultar,** to result, to follow.
**retirar,** to retire, to withdraw, to refuse, to repel.
**retrato,** *m*, picture, photograph.
**retroceder,** to retrograde, to go backward.
**reunión,** *f.*, meeting, reunion.
**revelar,** to show, to reveal, to manifest.
**revolver,** to stir, move, disturb.
**rezar,** to pray.
**rico, –a,** rich, wealthy.
**ridículo, –a,** ridiculous, absurd.
**rigor,** *m.*, rigor, cruelty, rudeness, strictness, force.
**riña,** *f.*, quarrel, dispute.
**risa,** *f.*, laughter, sport, jest.
**risco,** *m.*, rock, stone.
**risueño, –a,** smiling, laughing.
**rizo,** *m.*, curl, fuzzle.
**robar,** to rob, to steal, to deprive of, to take away.
**roca,** *f.*, rock, cliff, stone.
**rodar,** to roll, to turn, fall headlong.
**rodear,** to surround, to fill with.
**rodilla,** *f.*, knee; **de —s,** on one's knees.
**rogar,** to beg, ask, implore.
**rojizo, –a,** reddish, of red color.
**rojo, –a,** red, crimson.
**romanticismo,** *m.*, romanticism, fancy.
**romántico, –a,** romantic, fanciful.
**romper,** to break, to crush to pieces.
**ronco, –a,** hoarse, deaf.
**ropaje,** *m.*, apparel, drapery.
**rostro,** *m.*, face, countenance.
**ruido,** *m.*, noise, clamor.
**ruin,** ruinous, vile, wretched.

## S

**sábana,** *f.*, sheet, cloth.
**saber,** to know, to have knowledge, to experience, to know how.
**saber,** *m.*, knowledge, learning.
**sabio, –a,** wise, sage, learned.
**sabio,** *m.*, wise man, learned person.
**sabor,** *m.*, savour, taste, feeling.
**sacar,** to draw, to get, to obtain, to know, to find, to pull out.
**saciable,** satiable, that which can be satiated or filled.
**sacrificar,** to sacrifice, to devote.
**sacudir,** to shake, to jerk, to strike.
**sagrado, –a,** sacred, holy.
**sala,** *f.*, hall, chamber, room.
**salario,** *m.*, salary, wages.
**salida,** *f.*, going out, departure, start; outlet.
**salir,** to go out, to depart, to go [away.
**salón,** *m.*, parlor, hall, salon.
**salpicar,** to stain, to fill, to bespatter.
**saltar,** to jump, to leap, to dash.
**salto,** *m.*, leap, bound, jump.
**salud,** *f.*, health, welfare.

**saludar,** to greet, to salute, to hail.
**saludo,** *m.*, greeting, salute.
**salvar,** to save, to help, to rescue.
**salvo,** except, excepting.
**sanar,** to heal, to cure, to get well.
**sangre,** *f.*, blood, kindred, race.
**sangriento, –a,** bloody, fierce.
**sano,–a,** sane, healthy, safe, sound.
**santidad,** *f.*, holiness, saintliness.
**santísimo, –a,** most holy; **virgen santísima,** goodness gracious!
**santo, –a,** holy, saint, virtuous.
**saña,** *f.*, anger, passion.
**sarcasmo,** *m.*, sarcasm, bitter irony.
**sardónico, –a,** sardonic.
**satanás,** *m.*, satan, devil.
**satisfacción,** *f.*, satisfaction; apology.
**satisfacer,** to satisfy, to please.
**seco, –a,** dry, arid, lean.
**secretamente,** secretly.
**secretario,** *m.*, secretary, clerk.
**secreto,** *m.*, secret, secrecy, caution.
**secreto, –a,** secret, hidden, concealed, dark.
**seducir,** to seduce, to corrupt.
**seguir,** to follow, to continue.
**según,** according as, according to.
**segundo, –a,** second.
**segundo,** *m.*, second, moment.
**seguro, –a,** sure, safe, confident, easy.
**sello,** *m.*, seal, mark, brand.
**semblante,** *m.*, face, aspect, looks.
**semejante,** similar, like, resembling.
**semejanza,** *f.*, similarity, likeness.
**sencillez,** *f.*, simplicity, plainness.
**sencillo, –a,** simple, plain, light.
**seno,** *m.*, breast, bosom.
**sentar,** to fit, to become, to suit.
**sentarse,** to sit down.
**sentido,** *m.*, sense, understanding, meaning.
**sentimiento,** *m.*, feeling, grief, pain.
**sentir,** to feel, to suffer, to foresee.
**sentirse,** to be sorry, to grieve, to be offended.
**señalar,** to mark, to show, to point at, to designate.
**señor,** *m.*, sir, master; lord, gentleman.
**señora,** *f.*, madam, lady, dame.
**señorita,** miss; madam.
**señorito,** *m.*, young gentleman; sir.
**separar,** to separate, to part, to divide.
**ser,** to be, to exist, to happen.
**ser,** *m.*, being, entity.
**seriedad,** *f.*, seriousness.
**serio, –a,** serious, grave, grand.
**servicio,** *m.*, service, use, benefit.
**servir,** to serve, to work, to be of use, to do service.
**seso,** *m.*, brain.
**severidad,** *f.*, severity, vigorousness.
**severo, –a,** severe, harsh, rigorous.
**si,** if, unless, when; **sí,** yes, indeed.
**sido,** been. **(ser.)**
**siempre,** always, ever, at all times.

**siglo,** *m.*, age, century.
**significar,** to signify, to mean.
**siguiente,** following, next.
**silencio,** *m.*, silence, repose.
**silencioso, –a,** silent, speechless, quiet.
**silla,** *f.*, chair, seat.
**sillón,** *m.*, arm-chair.
**simbólico, –a,** symbolic, symbolical.
**simbolizar,** to mean, to symbolize.
**símbolo,** *m.*, symbol, sign, mark.
**simpatía,** *f.*, sympathy, feeling.
**simple,** simple, pure; silly, artless.
**sin,** without, besides; — **embargo,** nevertheless.
**sinceridad,** *f.*, sincerity, frankness.
**sincero, –a,** sincere, open, frank.
**singular,** singular, strange, extraordinary.
**sino,** but, only, alone.
**siquiera,** at least, even.
**sitial,** *m.*, seat of honor.
**sitio,** *m.*, place, site, location.
**situación,** *f.*, situation, post, place.
**soberano, –a,** sovereign, supreme.
**soberbio, –a,** haughty, proud, independent.
**sobra,** *f.*, surplus, excess; **de —,** [too much.
**sobrar,** to be left over, to overflow, to abound, to exceed, to be more than enough.
**sobre,** above, over, against, on, [upon.
**sobrehumano, –a,** superhuman.
**social,** social.
**sociedad,** *f.*, society, company, friendship.
**socio,** *m.*, ally, partner, comrade, relative.
**socorrer,** to help, to aid, to succor.
**socorro,** *m.*, aid, help, support.
**sofá,** *m.*, sofa.
**sol,** *m.*, sun.
**solamente,** only, solely.
**soler,** to be wont to, to be accustomed to, to be used to.
**sólido, –a,** firm, solid, strong.
**solito, –a,** all alone.
**solo, –a,** alone, single, only; **á solas,** alone; but.
**sólo,** only.
**soltar,** to let go, to loosen, to free
**sollozar,** to sob, to moan.
**sollozo,** *m.*, sob.
**sombra,** *f.*, shade, shadow, spirit.
**sombrero,** *m.*, hat.
**sombrió, –a,** gloomy, sombre, sad.
**sonar,** to sound, to pronounce.
**sonido,** *m.*, sound, noise; fame.
**sonrisa,** *f.*, smile.
**sonrojo,** *m.*, blush, blushing.
**sonsacar,** to seduce, to entice, to **steal.**
**soñador,** *m.*, dreamer.
**soñar,** to dream, to think idly.
**soñoliento, –a,** sleepy, heavy.
**soplar,** to blow, to animate.
**sorprender,** to surprise, to astonish.
**sorpresa,** *f.*, surprise, astonishment.
**sospecha,** *f.*, suspicion, fear, care.
**sospechar,** to fear, to suspect.
**sostener,** to sustain, to hold, to support, to maintain.

**su,** his, her, its, their.
**suave,** smooth, gentle, delicate.
**subir,** to climb, to ascend, to come up, to rise, to lift, to bring up.
**súbito, -a,** sudden, hasty.
**súbito,** suddenly, unexpectedly.
**sublevar,** to excite, *refl.* to rise up.
**sublime,** sublime, lofty.
**suceder,** to happen, to come about; to inherit, to succeed.
**suceso,** *m.*, event, happening; success.
**sudor,** *m.*, sweat, perspiration.
**suelo,** *m.*, ground, earth, surface.
**suelto, -a,** free, loose, daring.
**sueño,** *m.*, sleep, dream, vision.
**suerte,** *f.*, lot, fate, chance; **de — que,** so that.
**suficiencia,** *f.*, sufficiency.
**suficiente,** enough, sufficient.
**sufrir,** to endure, to suffer, to bear.
**sujetar,** to restrain, to seize, to subject.
**suma,** *f.*, sum, compendium; **en —,** in short.
**superior,** superior, higher, greater.
**suplica,** *f.*, supplication, entreaty.
**suplicante,** supplicating, suppliant.
**suplicar,** to beg, to implore, to entreat.
**suponer,** to suppose, to imagine.
**supremo, -a,** supreme, highest.
**supuesto,** *m.*, supposition.
**suscribir,** to write, to sign, to subscribe.
**suspenso, -a,** startled, surprised; [hung.
**suspirar,** to sigh, to groan, to desire.
**suspiro,** *m.*, sigh; breath.
**sustancia,** *f.*, substance, essence.
**sutil,** subtle, acute, keen.
**sutileza,** *f.*, skill, subtilty, sagacity.
**suyo, -a,** his, hers, their, theirs, one's.

## T

**tacto,** *m.*, tact, touch, sense of touch.
**tal,** so, such, as, such a, such as; **—vez,** perhaps.
**tálamo,** *m.*, bridal bed or chamber.
**talento,** *m.*, talent, ability, genius.
**tamaño, -a,** such, such a, of such a kind or size.
**tamaño,** *m.*, size, magnitude, kind.
**también,** also, likewise.
**tampoco, -a,** neither, not either, not yet.
**tan,** so, so much, as well as.
**tangible,** tangible.
**tanto,** as, as much, so much, so; **—, mejor,** so much the better; **—, tanto,** in the meantime.
**tapar,** to cover, to stop, to conceal.
**tardar,** to delay, to be long.
**tarde,** *f.*, evening, afternoon.
**tasar,** to value, to appraise; to heap up.
**te,** thee, to thee.
**teatro,** *m.*, theatre, stage.
**telón,** *m.*, curtain, drop-curtain.
**temblar,** to tremble, to shake.

**temer,** to fear, to dread, to suspect.
**temeraridad,** *f.*, rashness, temerity.
**temerario, -a,** rash, hasty, impudent.
**temor,** *m.*, fear, dread, suspicion.
**temple,** *m.*, humor, temperament, disposition.
**tenaz,** tenacious, fixed, hard.
**tender,** to stretch, to expand, to spread, to lie.
**tener,** to have, to hold, to be.
**tentador,** *m.*, tempter, deceiver.
**tentar,** to tempt, to attempt, to try, to feel.
**tercero, -a,** third; mediator, pimp.
**terco, -a,** obstinate, stubborn.
**terminar,** to finish, to end.
**término,** *m.*, end; wing
**terrible,** terrible, horrible.
**terrón,** *m.*, lump, piece of earth; lump or square of sugar.
**testigo,** *m.*, witness, spectator.
**tez,** *f.*, countenance, hue; face.
**ti,** thee, to thee.
**tiempo,** *m.*, time, occasion; season, weather.
**tierra,** *f.*, earth, clay, ground; world, globe.
**tigre,** *m.*, tiger.
**tijera,** *f.*, scissors; *fig.*, good eater.
**tijeretozo,** *m.*, cut with the scissors; stroke, beat, blow.
**timbre,** *m.*, timbre; bell, door-bell.
**timidez,** *f.*, timidity, fear.
**tímido, -a,** timid, bashful, afraid.
**tino,** *m.*, judgment, prudence, skill.
**tío,** *m.*, uncle.
**tipo,** *m.*, type, pattern, example.
**tira,** *f.*, pull; **—de pellejo,** pinch.
**tirano, -a,** cruel, tyrannical.
**tirar,** to throw, to throw away; to hurt, to injure; to fence.
**titán,** *m.*, titan, giant.
**título,** *m.*, title, name, degree.
**tocar,** to touch, to get, to play an instrument, to knock, to ring.
**todo, -a,** all, everybody, every, everything; **del —,** entirely; **—s los días,** every day.
**tolerar,** to tolerate, to suffer.
**tomar,** to take, to receive, to have, to grasp.
**tono,** *m.*, tone, voice, speech.
**tonto, -a,** fool, foolish, silly, ignorant.
**torbellino,** *m.*, storm, whirlwind.
**tornar,** to turn, to return, to be again, to repeat, to defend.
**torpe,** awkward, slow, stupid.
**torpeza,** *f.*, rudeness; stupidity.
**total,** *m.*, whole, total.
**totalidad,** *f.*, totality, whole.
**trabajar,** to work, to labor, to act.
**trabajo,** *m.*, work, labor, occupation.
**traer,** to bring, to carry, to conduct.
**tragar,** to swallow, to engulf.
**tragedia,** *f.*, tragedy.
**trágico, -a,** tragic.
**traición,** *f.*, treason, treachery.
**traicionero, -a,** treacherous, perfidious.

**traidor,** *m.*, traitor, betrayer.
**trama,** *f.*, fraud, deceit, plot.
**trance,** *m.*, danger, critical moment.
**tranquilo, –a,** tranquil, calm, quiet.
**trapo,** *m.*, cloth, sail.
**tras,** after, behind, besides.
**traste,** *m.*, dish, cup; fret; **dar al —,** to fail.
**tratar,** to treat, to handle, to manage; **— se de,** to be a question of.
**través, al — de,** or **a — de,** across, beyond, among, through.
**tres,** three.
**triste,** sad, gloomy, discontented.
**tristeza,** *f.*, sadness, sorrow.
**triunfar,** to triumph, to conquer.
**triunfo,** *m.*, triumph, victory.
**trivialidad,** *f.*, triviality, trifle.
**trocar,** to change, to convert, to give.
**trompeta,** *f.*, trumpet.
**truncar,** to ruin, spoil, destroy.
**tú,** you, thou.
**tu,** thy, your.
**turbado, –a,** confused, perplexed.
**turbar,** to confuse, to distract, to trouble, to be mistaken.
**tuyo, –a,** your, yours, thine.

## U

**ultimo, –a,** last, final.
**ultrajar,** or offend, to outrage, to insult.
**ultraje,** *m.*, outrage, insult, offense.
**umbral,** *m.*, threshold.
**un, uno, –a,** a, an, one, *pl.*, some; **uno por uno,** one by one.
**único, –a,** only, sole, alone.
**unión,** *f.*, union, unity, harmony.
**unir,** to join, to unite, to bind, to bring together.
**urgir,** to urge, to encourage.
**usar,** to use, to wear, to make use [of.
**uso,** *m.*, use, employment service, wear, style, fashion.
**usted,** you; *abbreviated to* **V** *or* **Vd;** *plural* **V. V.** *or* **Vds.**
**útil,** useful, beneficial, profitable.
**utilidad,** *f.*, utility, profit, advantage, usefulness.

## V

**vacilación,** *f.*, hesitation, vacillation.
**vacilar,** to hesitate, to vacillate.
**vacío, –a,** void, empty, vain, idle, unoccupied.
**vagabundo,** *m.*, vagabond,vagrant.
**vagar,** to hover, to wander.
**vago, –a,** vague, wandering, vagrant, restless.
**valer,** to be worth, to prevail, to be of profit, to be of use, to amount to.
**valeroso, –a,** valiant, brave.
**valiente,** courageous, bold, valiant, brave.
**valor,** *m.*, valor, courage, spirit, braveness; price, worth, value.
**vanidad,** *f.*, vanity, ostentation.
**vano, –a,** vain, useless, empty.
**vapor,** *m.*, vapor, steam, frenzy.

**varonil,** manly, spirited.
**vaya,** indeed, well, certainly.
**vecino,** *m.*, neighbor.
**vecino, –a,** near, next, adjoining.
**vegetar,** to shoot forth, to vegetate.
**veinte,** twenty.
**velo,** *m.*, veil, mask, curtain.
**vena,** *f.*, vein.
**vencer,** to conquer, to win, to overcome.
**vencimiento,** *m.*, victory, conquest.
**venda,** *f.*, bandage, veil, blind.
**veneno,** *m.*, poison, venom.
**venganza,** *f.*, vengeance, revenge.
**vengar,** to avenge, to revenge.
**venir,** to come, to go, to draw near, to advance.
**ventaja,** *f.*, advantage, benefit.
**ventana,** *f.*, window.
**ventura,** *f.*, luck, fortune, chance, **por —,** by chance.
**venturoso, –a,** happy, fortunate, luck, successful.
**ver,** to look, to see, to observe, to reflect; **tener que — con,** to have to do with.
**vêra,** *f.*, edge, border.
**veras,** *f.*, truth; **de —,** in truth, really.
**verdad,** *f.*, truth, reality.
**verdadero, –a,** true, truthful.
**verde,** green; *s. m.*, verdure.
**verdugo,** *m.*, executioner.
**vergonzoso, –a,** shameful, modest.
**vergüenza,** *f.*, shame, modesty, bashfulness, dignity.
**verso,** *m.*, verse, joke.
**verter,** to shed, to spill, to turn.
**vestigio,** *m.*, trace, sign, vestige.
**vestir,** to dress, to clothe.
**vez,** *f.*, turn, time, epoch; **á la —,** or **de una —,** at the same time or suddenly, **à veces,** at times or sometimes.
**vía,** *f.*, way, road.
**viajar,** to travel.
**víbora,** *f.*, viper, serpent.
**vibración,** *f.*, vibration.
**vicio,** *m.*, vice, depravity, fraud, folly.
**víctima,** *f.*, victim.
**vida,** *f.*, life; conduct, behavior.
**viejo, –a,** old, aged.
**viento,** *m.*, wind, air.
**vigor,** *m.*, vigor, strength, force, energy.
**vil,** vile, mean, wretched.
**vileza,** *f.*, wickedness, disgraceful action.
**villa,** *f.*, villa, city, town.
**villano,** *m.*, rustic, villager.
**violencia,** *f.*, violence, force.
**violento, –a,** violent, furious, impetuous.
**virgen,** virgin, pure.
**virtud,** *f.*, virtue, power.
**visión,** *f.*, vision, dream.
**visita,** *f.*, visit.
**vislumbrar,** to catch a glimpse of, to perceive indistinctly.
**vista,** *f.*, view, sight, look, eyesight.
**visto,** see, *p. p. of* **ver.**
**vistoso, –a,** showy, beautiful, delightful.
**viviente,** living, alive.

**vizconde,** *m.*, viscount.
**vivir,** to live, to have life.
**vivo,–a,** living, active, lively, vivid, sharp, bright.
**volar,** to fly, to pass through the air, to hover, to flutter.
**volcán,** *m.*, volcano.
**voluntad,** *f.*, will, desire, choice.
**volver,** to return, to come back, to turn; **volver á,** to do a thing over again: **volveré á verlo,** I shall see him again.
**votar,** to vote, to swear, to declare.
**voz,** *f.*, voice.
**vuelo,** *m.*, flight, leap, soar.
**vuelto,** *p. p. of* **volver.**
**vuestro, –a,** your, yours.
**vulgar,** vulgar, commonplace.

## Y

**y,** and, to; *before* **i** *or* **hi** *it changes to* **é.**
**ya,** already, now, finally.
**yacer,** to lie, to lie down, to be fixed in a place.
**yo, I; yo mismo,** I myself.
**yugo,** *m.*, yoke, marriage-tie.

## Z

**zafir,** *m.*, sapphire.
**zaquizamí,** *m.*, garret, shop, small unclean residence.
**zorro,** *m.*, fox, knave, lazy person, cunning or sly person.
**zumbar,** to hum, to buzz, to sound, to vibrate.